PRUDDIAITH

STORÏAU BYRION

GAN

ENNIS EVANS

GWASG GOMER

Argraffiad Cyntaf - Gorffennaf 1981

ISBN 0 85088 635 X

Dymuna'r cyhoeddwyr gydnabod cymorth a chyfarwyddyd Adrannau'r Cyngor Llyfrau Cymraeg a noddir gan Gyngor Celfyddydau Cymru.

Argraffwyd gan J. D. Lewis a'i Feibion Cyf., Gwasg Gomer, Llandysul, Dyfed

I Mam a Dad

CYDNABOD

Carwn ddiolch yn gynnes iawn i'r canlynol am eu caniatâd i gynnwys rhai storïau :

Llys yr Eisteddfod Genedlaethol—' Ffrind Sali ',

Llys Eisteddfod Môn—' Serch ' ac ' Antur ',

'Rwyf hefyd yr un mor ddiolchgar i Wasg Gomer am ei gwaith glân.

Ennis Evans

CYNNWYS

FFRIND SALI

Ysbyty'r Meddwl,
Maes-y-cil.

Annwyl Sali,

Talp o euogrwydd sy'n 'sgrifennu atat. Rhaid oedd imi gael rhyddhad mewn rhyw fodd, yn hytrach na syllu mewn gwewyr digyffro i graidd y tân yn y lolfa. Syllu y mae pawb yma, wyddost. Rachel yn syllu i mewn i wydr (plastig) gan weddïo ar i'r dŵr droi'n win unwaith eto. Gwraig ifanc, Glenda, yn syllu ar Philip, ei hangor penfelyn deunaw mis oed. Yntau'n lolian ac yn chwerthin o fore bach gwyn tan nos. Am braf ! Chwythwyd ei dad yn chwilfriw ym Melfast. Dyna Amanda hefyd yn syllu'n gariadus ar y dillad baban y mae hi'n eu gweu ar gyfer y plentyn y bydd yn esgor arno unrhyw ddiwrnod—er ei bod mor ddiffrwyth â gwraig ganmlwydd oed. Babi . . . Rhodri . . . Lisa . . . bydd y seiciatrydd yn llusgo fy nheimladau allan o'm meddwl o hyd. Eisiau dianc oddi wrtho rhag imi orfod ail-fyw'r arteithiau. Ond yntau'n syllu fel gwenci ar gwningen, a minnau'n gorfod ildio. Sawl gwaith ? Sut oedd Rhodri'n f'anwesu ? Oedd o'n fy mifo ? Oeddwn i'n mwynhau hynny ? Ei wraig—Lisa. Ddim yn hapus efo hi, meddai fo. Yr un hen stori. Ond 'roeddwn i'n ei ffansïo, Sali. ' Ffansïo '—gair sy'n perthyn i'm gorffennol ydyw hwnnw bellach. Mae'n rhyfedd, wyddost, ond y mae fy holl chwantau'n farw gelain—nwydau rhywiol, archwaeth bwyd, hyd yn oed awch bywyd ei hun. Y Bywyd hwnnw 'roeddwn i'n arfer â gorfoleddu ynddo yn y Coleg ! Eithr gwn yn awr nad ydwyf yn haeddu byw gan fy mod wedi lladd fy mabi. Gweill Amanda'n clician o hyd . . . clic clic

. . . lladd fy mabi . . . clic clic . . . lladd fy . . . O Sali, rhaid imi fynd i'm hystafell fach i orwedd i lawr ac i feddwl. 'Sgrifennaf eto.

Heledd

Ysbyty'r Meddwl,
Maes-y-cil.
Dydd Mawrth.

Helo Sali,

Dim ond pwt bach cyn mynd i gyffro E.C.T. (triniaeth drydanol) arall. Dwy ohonom yn unig sy'n cael siociau,—Glenda a fi. Bydd yr iasau'n codi arswyd ar Glenda druan—ofni teimlo'i hymennydd yn nofio yn ei phen ar ôl y pigiad yn ei llaw, a hithau'n cael ei gorchfygu'n llwyr. Ond ofn deffro ar ôl y driniaeth a wynebu bywyd sydd arnaf fi. Gorfod bwyta brecwast a'r pacedi gwawdlyd o greision yn syllu arnaf.

Mae'r nyrs newydd ddod i mewn gyda chwistrelliad i'm tawelu. Tawelu a chael sioc. Onid ydi bywyd yn od ?

Oddi wrth
Heledd

Ysbyty'r Meddwl,
Maes-y-cil.
23 Mawrth 1978.

Annwyl Sali,

Fel y gwyddost, 'roedd fy mhen-blwydd i ddoe. Cefais ambell atgof drwy'r post gan rai o'r genethod yn y Coleg. Cardiau del gyda chyfarchion fel *May this be your Nicest Birthday Ever* wedi'u stampio arnynt. A hynny mewn gwallgofdy ! Ond chwarae teg iddynt am gofio amdanaf yng nghanol hwrli-bwrli bywyd colegol.

Bûm mor ffôl â disgwyl y byddai Mam a Dad yn maddau popeth imi fel math o anrheg ben-blwydd arbennig, eithr ni ddaeth gair oddi wrthynt—hyd yn oed gyda'r ail bost.

Fodd bynnag, amser te, teimlais ias fechan o lawenydd yn gogleisio fy meddwl. Yn ddiarwybod imi, 'roedd y merched eraill a'r nyrsys wedi gwneud casgliad i brynu teisen ben-blwydd imi. Pan euthum i'r ystafell fwyta dyna lle'r oedd hi ar ganol y bwrdd ! Teisen gron â ffriliau o eisin pinc a gwyn yn rubanu o'i hamgylch ! Yr oedd yn bechod ei thorri'n ddarnau.

Wrth weld mai arnaf finnau 'roedd pawb yn hoelio'i sylw am unwaith, rhedodd Philip ataf gyda'i goesau bychain tewion a mynnu eistedd ar fy nglin i gael te. Rhoddais yr eisin oddi ar fy narn i iddo fo, a dyna lle'r oedd o'n ei fochio'n braf ac yn gwenu arnaf bob yn ail, ac yn syllu ar fy mhlât am fwy. Ond druan ohono ! 'Doedd dim ond briwsion brau ar ôl.

Hwyl, oddi wrth
Heledd

X (gan Philip)

Ganol nos.
Sali, helpa fi !

Wedi cael hunllef . . . Rhodri a Lisa . . . a'r babi a lofruddiais. Sgrechian a chrynu. Nyrs yn fy nhroi ar f'ochr, yn tynnu fy nhrowsus ac yn chwistrellu rhywbeth i mewn imi er mwyn fy nofi. Hanner awr wedi tri a'r cloc yn curo fel pyls wrth fy ngwely . . . 'roedd Rhodri'n sefyll yno eiliad yn ôl . . . a Lisa . . . Rhodri'n chwerthin nerth esgyrn ei ben—hwnnw'n chwyddo a minnau'n ei sleisio oddi ar ei gorff . . . ei ben yn rholio fel pêl tuag ataf. Ei weflau'n symud. Fy ngorfodi i ddal ei ben a'i gusanu.

‘ Na Rhodri ! ’Does arna i byth isio dy gusanu di eto ! ’ Ei lygaid tywyll yn fy ngwawdio. Rheini’n chwyddo . . . eu plicio nhw allan o’u socedau fel pigo eirin oddi ar goeden. Gwasgu’r llygaid. Sudd coch yn pistyllu drosof. Pen Rhodri’n disgyn gyda chlonc ar y llawr. Lisa’n creyru arnaf.

‘ Rŵan yr hen ast ! ’Rydw i am dy stripio ! ’

‘ Peidiwch Lisa—plîs ! ’

‘ Ha ! Ddwedaist ti “Na” erioed wrth Rhodri ? ’

Gwthio pelen o wadin i mewn i’m ceg . . . mygu . . . Lisa’n chwerthin wrth syllu arnaf.

‘ ’Rydw i am frathu dy dethi di i ffwrdd ! Dyma nhw ! Darnau bach o groen ar ôl yma—snip, snip efo siswrn miniog ! Dyna welliant ! ’ Siglo’r ddau lwmp bach gwaedlyd yn ôl ac ymlaen fel pendil o flaen fy llygaid.

‘ Am glust-dlysau bach del, yntê ? ’ meddai, gan roi fy nhethi wrth ei chlustiau a gwenu arnaf. ‘ Ond rhaid cael pinnau ar glust-dlysau, wyddost, yr hen genawes fach fudr ! Beth am wthio pinnau i mewn i’r tyllau ’na lle’r oedd dy dethi di funud yn ôl ? Mi ydw i’n hoffi gêm o ddartiau ! Ping ! Ping ! Ping ! Ping ! Deuddeg o binnau ym mhob twll. A thithau’n methu yngan gair efo lwmp o wadin wedi’i sodro yn dy geg ! Druan ohonot ! Ond paid â chrio, Heledd. Mae dy fabi di yma, wyddost. Ac mi oeddit ti’n tybied dy fod ti wedi’i ladd o ? Lladd dy gnawd dy hun ? Gadael i’r meddyg ei lusgo allan ohonot a llosgi’r peth bach mewn ffwrnais ? Lol i gyd, ’nghariad i. Dyma fo iti mewn siôl wen ! Am faban hardd gyda gwallt melyn ! Edrycha ar dy blentyn cariad. Onid ydi o’r un ffunud â Philip ? ’

Codi ar f’eistedd a phipian yn eiddgar dros ymyl y siôl. Colsyn o ben. Tyllau mawrion yn lle llygaid. Rhes o dethi coch yn geg. Gweiddi a gweiddi.

‘ Ie, dyma dy faban bach del di, Heledd ! Cymer ef yn dy gôl.’ Gwthio’r bwndel bach i mewn i’m breichiau. Sŵn crensian fel cols dan draed. Llond bag hŵfer o fabi, a Lisa'n chwerthin wrth ailwindio'r cloc . . .

Methu mynd yn ôl i gysgu gan fod pob nerf yn fy nghorff yn dynn a'm meddwl ar bigau'r drain—hyd yn oed ar ôl cael y pigiad gan y nyrs. Ysgrifennu atat ti fel math o gysur. Diolch byth bod y nyrs wedi gadael y golau bach yn gwmni tawel imi yn yr hen stafell yma.

Sali! Ni allaf 'sgrifennu un sillaf arall—newydd sylwi ar y pin 'sgrifennu.

H.

Tir Neb
Sali
Yr hunllef wedi fy ngwanu
Y seiciatrydd wedi rhoi cyffuriau newyddion
Wedi lladd yr arswydfyd
Mor ddideimlad â *dalek*

Heledd.

Ysbyty'r Meddwl,
Maes-y-cil.
5 Gorffennaf 1978.

F'annwyl Sali,

Mae'n wirioneddol ddrwg gennyf nad ydwyf wedi 'sgrifennu gair atat ers misoedd. Ond mae'r tywydd wedi bod mor braf, ac mi ydw i wedi bod yn mynd am dro bron bob dydd gyda Philip a Glenda, ac yn chwarae gyda'r bychan ar y lawntiau. Rhyfedd fel y mae Philip wedi llwyddo i godi fy nghalon mor aml. Hyd yn oed pan oedd seicoleg a llond sach o gyffuriau'n methu! Ambell waith, a minnau mewn ing ofnadwy, byddai'r peth bach yn gwthio *Smarties* i mewn i'm llaw ac yn tynnu'i holl deganau allan o focs mawr gan eu dangos imi fesul un. Bendith ar ei ben bach melyn ! Aeth Philip a'i fam adref ddeuddydd yn ôl.

Byddaf innau'n cael mynd i fyw mewn fflat yn y dref ymhen yr wythnos hefyd. Miss Dodd, un o'r gweithwyr cymdeithasol, sydd wedi trefnu popeth imi. Y mae wedi addo y bydd hi neu un o'i chydweithwyr yn dod i ymweld â mi'n achlysurol. Pan fyddaf wedi gwella'n llwyr, byddant yn fy helpu i ymgeisio am swydd arall gan na allaf ymgodymu â bywyd colegol unwaith eto.

Weithiau byddaf yn edrych ymlaen at y dyfodol. Ond y rhan amlaf yn ei ofni—yn arbennig ar ôl i Glenda ddweud wrthyf ei bod am ymfudo. 'Roeddwn wedi bod yn dyheu am yr adegau pan fyddai Philip a Glenda yn taro i mewn i'r fflat am sgwrs, neu hyd yn oed am wyliau. Ond yn ffodus i Glenda, y mae ganddi deulu yn Seland Newydd ac y maent wedi bod yn crefu arni i fynd a dechrau bywyd newydd gyda hwy yn y wlad honno. Ac y mae wedi penderfynu hel ei phac. Ymhen ychydig wythnosau bydd Philip a Glenda mewn gwlad newydd—a Philip wedi hen anghofio am Faes-y-cil ac am eneth (ffôl !) o'r enw Heledd. Fel pawb arall o ran hynny.

Ond Sali, ni allaf ddiolch digon iti am bopeth—am lynu wrthyf er bod pawb arall wedi fy naw wfftio, ac am y cysur 'rwyf wedi'i gael wrth 'sgrifennu atat. Cofia bod yn *rhaid* iti ddod i'r fflat am sgwrs a phanad ! Wrth sôn am banad, gwell i mi ffarwelio am rŵan gan ei bod hi bron yn amser te yma. Cawn sgwrs iawn eto.

Cofion filoedd,
Heledd

O.N. Newydd fod yn chwilota yn fy nghwpwrdd bach am amlen, ac wedi canfod y llythyrau hyn oll heb eu postio. Ond beth ydyw dy gyfeiriad di ? O Sali—pwy WYT ti ?

AROS

Torrodd Meg Williams blisg yr wyau'n erbyn y ddysgl. Nid oedd neb i'w chymharu â hi yn yr ardal am goginio teisen felen, ond cadwai'r rysait iddi hi'i hunan. Eu chwisgio'n ddidrugaredd gan edrych drwy ffenestr fach ar y môr di-gwsg, a'i meddyliau am Edwyn yn eplesu yn ei henaid.

Cartref canu grwndi oedd Bryn Awel. O leiaf, dyna sut y syniai'r fam a'r tad amdano cyn i Edwyn ymuno â'r llynges yn ystod yr Ail Ryfel Byd. O ! byddai'n coginio'i theisen flasusaf erioed erbyn i'w hunig fab ddychwelyd o danlli'r Môr Tawel. Yn ei lythyr olaf at ei rieni, ysgrifennodd : ' Give my regards to Joan.' '*Joan*,'—'*Japan*.' Cymysgu'r blawd i mewn i'r fowlen yn araf rhag i ormod o acr dreiddio i'r gacen cyn ei rhoi yn y ffwrn.

Cnoc ddiniwed ar ddrws y ffrynt. Twtio'i brat wrth gerdded drwy'r lobi. Dim ond calon mam a allai suddo i'r fath sugnfor wrth weld Dafis y postmon yn sefyllian yn swil wrth Fryn Awel. Ei ben wedi crymu gan nad amlen wen a oedd yn hongian yn llipa yn ei law.

' T-teligram i chi, Mrs. Williams annwyl. Ydi Jac y gŵr gartre' ? '

Syllu ar yr amlen alarus a wnaeth y fam cyn sibrwd :

' Ydi, mae o yma.'

' Wel, da boch chi felly.'

Cau'r drws mor ddistaw â phe bai baban newydd-eni yng Ngwlad y Breuddwydion yn y tŷ, cyn gweld Dafis yn cerdded yn waglaw ar hyd y llwybr, gan ysgwyd ei ben unwaith yn rhagor. Y fam yn syllu yn ei hunfan ar yr amlen felen. Rhaid oedd iddi hithau ei hagor. Erbyn hyn, yr oedd nerfau'r tad mor frau â thannau telyn Wyddelig. Cau'i llygaid.

'O ! fy Nuw . . .'

Sŵn galar yn plisgio'n agored yn ei chalon. Yr unig eiriau a lamodd ati oedd :

. . . *regrets to inform you that Signalman Williams, E.*5743041 *has been reported missing* . . .

'Edwyn ! Na ! Edwyn ! Ed . . .'

Y tad yn clywed dolefau'r fam. Rhedeg ati.

'O Jac ! Be' wnawn ni ? Pam Jac ? Pam ?'

Dagrau hallt yn gwlychu'i brat. Y ddau'n gariadon eto. Jac yn gweld haenen denau o bapur a newidiai'i fyd yn llaw Meg, ac amlen fel deilen grin ar y llawr.

'Rho'r papur 'na imi, Meg,' meddai, a'i ddagrau'n powlio.

'Teligram ydi o—*Edwyn* !'

Y tad yn agor llaw angor y fam fesul bys a bawd.

'Modryb y fawd, bys yr uwd . . . a Sioni bach bach bach !'

Clywed iasau o chwerthin ei blentyn yn llachar yn ei ben.

'Eto Dadi, eto !'

Darllen y teligram.

The War Office,
Whitehall,
London S.W.1.
22nd March 1943

*The Admiralty regrets to inform you that Signalman Williams, E.*5743041 *has been reported missing. If any further information is received it will be relayed to you forthwith.*

Vice-Admiral Alexander Cowley-Hobbs.

Newid iaith.

'O ! Arglwydd, dyro Dy nerth inni.' Llafnau o ddagrau wrth iddo rillian crio. 'Tyrd . . . i'r geg-in i . . . eistedd i lawr, Meg. Edwyn ! Fy mhlentyn i !'

Y ddau'n ceisio bod yn darianau i'w gilydd yn y gegin, eithr yr oedd yno un gadair esmwyth arall.

' Mae'r diawliaid wedi lladd Ed-wyn ! Be' sy' wedi digwydd iddo ? Lle mae o rŵan, Jac ? '

' Mae'n . . . siŵr mai . . . carcharor ydi o . . . yn rhywle. Creda di . . . fi, Meg annwyl . . . mae Edwyn yn . . . fyw . . . 'dydy'r teligram 'na ddim yn sôn gair . . . sôn gair 'i fod o . . . wedi'i la—. O Edwyn, ty'd yn ôl aton ni—*plîs* Edwyn . . . paid â'n gad-ael ni . . . fel hyn ! Fy mab annwyl i ! Y blydi Japs 'na ! Mi laddwn i bob un ohonyn nhw pe bawn i'n medru—pob cythraul bach hyll o bob un ! '

' Paid â gweiddi Jac, plîs. Mae . . . mae rhywbeth yn eigion fy nghalon yn dweud wrtha i fod Edwyn yn fyw. Mi *ddaw* yn ôl—mae'n *rhaid* iddo ddŵad. Rho'r teligram imi, Jac. Ie, "*missing*" mae'n ei ddeud . . . wyt ti'n . . . cofio fel 'roedd y peth bach yn crwydro ar y Glasdir ac ym . . . ym . . . Maes-y-Meillion erstalwm ? Ninnau'n poeni ac yn aros am glywed clicied y . . . y gât . . . '

Ochneidio a gwenu bob yn ail—am fod Edwyn wedi mar—am fod Edwyn eto'n fyw.

Cnoc ar ddrws y cefn a Lisa Morgan drws nesa' yn hwbian i mewn i'r gegin. Dagrau'n cronni yn llygaid yr hen wreigan dlawd.

' Meg a Jac annwyl. Mi welais i Dafis y postmon yn galw yma. Ond yng nghanol eich helynt, cofiwch mai "A fynno Duw a fydd"—er 'i bod hi mor anodd derbyn hynny. Mae Edwyn yn ddiogel yn y Nefoedd rŵan. Telynau nid torpîdos sydd yno . . . wyddoch chi, Meg a Jac. Och ! Am fyd ! '

Dagrau'n llifo i lawr ei gruddiau crebachlyd, a hithau'n eu sychu yn ei ffedog fras.

' Ond mae Edwyn yn fyw o hyd, Lisa Morgan annwyl. Ylwch, "*missing*" mae o'n 'i ddeud ar y teligram 'na. '

' Fedra'i ddim darllen, 'ngeneth i, ond mi ddoda' i'r tegell ar y tân i chi gael panad. '

Ias yn gwewyru drwy gorff y fam wrth feddwl am y dyfroedd yn y pot dŵr ac yn y tegell. Potyn pridd. Ei phlentyn yn ddi-fedd ?

‘ Mi ydw i wedi dod efo’n nogn siwgr i chi, ’ meddai Lisa Morgan. ‘ Rhowch ddwy lwyaid yn eich te. Mi wnaiff les i chi. ’

Cnoc ar y drws.

‘ Newydd glywed . . . ’

Cnoc ar y drws.

‘ O ! mae’n ddrwg gen i . . . ’

Cnoc ar y drws. Cerdded i mewn. Cnoc ar y drws. Cerdded i mewn. Cnoc, cnoc, cnoc, fel sŵn cnocell-y-coed ym mhen Jac. Arogl llosgi yn y gegin fach a’r fam yn tynnu marworyn o deisen allan o’r ffwrn.

Y fam yn loetran drwy’r ardd. Noson dawel oni bai am flôr y pwll yn llefain. Brigau’r coed afalau’n plygu o dan eu pwn. Dagrau o sêr yn gwanu drwy’r awyr a’r lleuad yn bŵl o dan gaddug cwmwl. Syllu ar y polyn radio, a thon o hiraeth yn ei gorchfygu. O ! na bai gwifren gudd o dan y lloer a ddeuai â neges bod Edwyn yn ddiogel.

Wythnosau di-hun o droi a throsi fel tonnau’r môr. Wythnosau a’r tad yn nychu. Marw. Meg yn ei weld yn ei arch bren. Claddu’i gorff di-glais a’i feddwl a daniodd yn ffwrnais o alar, ym mynwent Rhewl. Torch o rosod coch a gwyn.

Er cof am ŵr a thad tyner. Meg ac Edwyn.

Brysio adref o’r angladd. Lisa Morgan yn aros amdani.

‘ Mae Un a all dawelu pob storm, Meg fach. Cofiwch bod Jac yn “morio tua chartref Nêr”, rŵan, wyddoch. ’

‘ Rhwng tonnau maith ’rwy’n byw, Lisa Morgan, ’ ochneidiai Meg y fam.

‘ ’Rwy’n gwybod hynny fy nghariad i. Ond ’roedd gweld Jac druan yn gwallgofi mwy a mwy o hyd yn torri ’nghalon i— a’ch calon chithau’n fwy na neb. Gwell oedd iddo farw gartre’ gyda chi’n ’i nyrsio fo ddydd a nos nag yn y seilam. ’

‘ Ond lle mae Edwyn ? O ! mae arna’ i eisiau Edwyn ! ’

‘ Ewch i orffwyso rŵan, a “pho gyfyngaf gan ddyn ehangaf gan Dduw”.’

Mynd i’r llofft. Edrych drwy’r ffenest.

O ! fôr, yr wyt ti’n troelli tuag ataf fel colomen wen. Yna’n pellhau. Na, nid amdo sydd ar dy donnau. Y Môr Tawel tymhestlog a’r ewyn gwyn yn troi’n Waed y Groes. Gwaedlyd amdo ar yr ŵyn a ruddellwyd. Och ! Pryd y daw’r Awel i’m Bryn ? Bwrlwm o obaith yn llenwi’m bron. Llong ar y gorwel ! Daw, fe ddaw llong Edwyn hefyd, ac fe fyddwn ni . . . fe fyddaf innau yma’n aros. Edwyn—wyddost ti bod dy dad wedi ‘ croesi’r lli ’ ? Edwyn annwyl, tyrd i sgwrsio am funud â’th fam. Fe ddaliaf ati i aros amdanat ti. Weithiau, rhimyn o obaith tinselaidd fel y gorwel draw yn rubanu yn f’enaid wrth weld llong ar y môr. Eithr, yn aml, fy hyder yn ceulo ac ofn di-drai’n gorlenwi’m calon. Nosweithiau tylluan ar wely o goed. Crafangau’r môr yn cynddeiriogi. Tonnau Tiberias yn chwipian—chwapian. Iasau rhewllyd. Chwisgian-chwasgian—curo gwynwy. Curo a churo, a’r ddysgl bridd yn torri’n rhacs. Drylliau mân yn rhwygo’i bysedd, a’r gwaed Mam-goch yn glynu yn yr ewyn gwynias.

Cerdded i’r fynwent â blodau i’w gosod ar feddrod y tad. Ni fyddai’n hir cyn dychwelyd i Fryn Awel. Unwaith eto, rhosod coch a gwyn a gariai. Edwyn a Herbert a Wil ac Alff a Melfyn ac Ifor a Huw a Jo’n mynd am dro yn eu dillad Sul ar ôl y gwasanaeth boreol. Edwyn fel dyn yn ei siwt las a’i drowsus llaes. Mewn trans y fam yn dilyn eu tro. Heibio i Gapel Seion—y gynulleidfa’n canu ‘ Yn y dyfroedd mawr a’r tonnau . . . ’ Canu a chanu. Edrych ar y rhosod wrth iddi fynd heibio i Lyn Jimi. Trwy bentref Glan’rafon a hisian yr afonig fel su gwenyn yn ei phen. Cyrraedd y fynwent.

Agor y gât ddu. Heibio i’r pren yw. Cerdded at y nawfed rhes ar yr ochr dde. Y chweched bedd. Gosod ei blodau’n daclus. Brysio tuag adref heibio i Ysgol y Nant. Bachgen gwallt golau cyrliog yn bwledu tuag ati, a'i lais yn treiddio drwy'r awel :

' Dyma fi, Mam ! '

' Edwyn ! '

Cyrraedd gât yr ysgol. Clwyd carchar. Ysgol ddi-blentyn. Troi'i phen wrth lyn Fferm yr Hendre. Hendre yng nghanol haf. Dyna oedd ei bodolaeth. Gwyddau'n clochdar. Clochdar . . . gweiddi . . . clochdar . . . gweiddi. Plygu'i phen wrth nesáu at Y Cartrefle—Marged Evans wedi colli Lois—dicâu—ychydig ddyddiau ar ôl marwo—wedi i'r teligram 'na gyrraedd. Eithr er gwaethaf loes Marged . . . Alff Cartrefle, yn un o'r criw a âi am dro gyda'i mab cyn cinio Sul. Yntau'n ffarwelio wrth Y Cartrefle.

Awel oer yn rhidyllu i lawr ei chefn wrth iddi orfod mynd i lawr, ac i lawr, ac i lawr gallt serth y Bryn. Galw'n nhŷ Elsa'r Foel—gwerthai sigaréts ar y Sul pan fyddai mwyaf o awch ar y bechgyn am fod yn ddynion go iawn. Nid yn blantos mwyach. Yn ddynion—digon hen i gael eu . . .

' Paced ugain o *De Reske*, os gwelwch yn dda. '

' Ond Meg Wilias fach, 'dydych chi ddim yn smocio. Ewch adref rŵan, da chi, ' meddai Elsa'r Foel, hen wraig mor denau ag edefyn, a'i chefn ar ffurf cambren.

' Paced ugain o *De Reske*, os gwelwch yn dda. '

Elsa'n trugarhau.

' O ! bobol bach ! Mae'n ddrwg gen i, ond mi ydw i wedi rhoi fy ngheiniog ddiwetha' ar blât y casgliad. 'Ga' i dalu i chi eto ? '

> *Druan ohonot* ! *Mi wyt ti eisoes wedi talu'n ddrud iawn, Meg Wilias.*

' Cewch, wrth gwrs. Ewch adref i gael tamaid o fwyd rŵan. '

Agor y pecyn sigaréts, a rhwygo'r amdo oddi ar y corffyn baban *And* 4 *for your friends.*

‘ Dyma chi—Herb, Wil, Ifor, Mel. Chi ydi’r rhai ieuenga’. Cofia Ifor, paid byth â chymryd y trydydd tân, neu mi fyddi cyn farwed â hoelen arch. ’

Meg Williams yn cyrraedd Bryn Awel. Eistedd yn y gegin. Edrych fel un mewn twymyn ar y paced *De Reske*.

‘ O fy Nuw ! Be’ sy’n digwydd imi ? ’

Taflu’r sigaréts i galon ei thân. Y tonnau gwaetgoch yn eu crafangio fel fwlturiaid. Aros yn y gegin drwy’r dydd heb fwyta mwy na drudwen. Y fam yn enhuddo’r tân—dim ond er mwyn i’r gegin fod yn gynnes erbyn y bore. Cyflawni’r ddefod o osod ei dwy gwpan a soser orau ar y bwrdd. Cerdded i fyny’r grisiau gan gofleidio potel ddŵr poeth. I mewn i lofft Edwyn gan osod y botel rhwng y cynfasau mor dyner â mam yn dodi’i baban yn ei grud. Edrych oddi amgylch y llofft lân. Oedd, yr oedd popeth yn barod. Penlinio wrth ei wely :

Disgwyl ’r wyf trwy hyd yr hirnos
  Disgwyl am y bore-ddydd ;
Disgwyl clywed pyrth yn agor,
  A chadwynau’n mynd yn rhydd ;
    Disgwyl golau
Pur yn nhwllwch tewa’r nos. Amen.

Mynd i gadw. Meddwl am y llen du y tu ôl i’r llenni llachar a oedd yno pan . . . llen cyn ddued ag ing ei chalon yn treiglo i lawr y ffenestr. Cau’r byd allan. Dim ond y hi a’i meddyliau a’i gobeithion. Eithr da y gwyddai mai cynfas i Artist Angau oedd ar ei ffenestr. Y cloc larwm yn tician fel pryf corff. Cwsg mam bryderus. Y wefr o synhwyro’r wawr yn torri yn ei chalon. Rhywun yn cerdded ar draws y môr—‘ awelon hyfryd ’—dod yn nes ! Yn nes eto ! Rhedeg drwy’r ‘ dyfroedd tawel ’ fel plentyn bach yn chwarae am y tro cyntaf erioed yn y môr diderfyn, di-dorpîdo. Rhedeg a rhedeg nes cyrraedd Bryn Awel !

Chwarter i bedwar yn y bore. Cnoc ar ddrws y cefn.

‘ Edwyn ! Edwyn ! ’

Y fam yn neidio allan o’i gwely. Brasgamu i lawr y grisiau yn ei choban i’r gegin fach. Agor y drws i Edwy—Meri Preis, Tŷ Gwyn, oedd yn sefyll yno â chyllell fara yn ei llaw.

‘ O, sori ’mod i wedi’ch deffro chi mor gynnar, cofiwch. Ond mae Wil isio ’i snapin i fynd i’r stem fore yn y pwll, a wyddoch chi be’, Mrs. Wilias annwyl, ’roedd Henri ’cw a Jo wedi byta pob briwsionyn o fara neithiwr, a hynny heb imi wybod *dim byd. A’n* nogn jam i am yr wsos—am yr *wsos*, cofiwch. Pwy faga blant ? Wn i ddim. Beth bynnag, Mrs. Wilias, dyma fi’n meddwl tybed ’sgennych chi hanner torth i’w sbario—’does arna i ddim isio’ch robio chi, cofiwch, ond ’does ond y chi yma medda’ fi. Ribidirês, ma’ Wil y gŵr ’cw ’n byta clyffia’ fel gwadna’ clocsia’. ’Dach chi’n iawn Mrs. Wilias ? ’Dach chi’n edrych dipyn yn gwla imi. ’

‘ D-deffro’n rhy sydyn braidd—ar ôl breuddwydio. ’

Cerdded i’r pantri, a’r fam yn torri’r bara.

‘ O ! *Champion*, Mrs. Wilias ! Sori to distyrb iw, fel maen’ nhw’n deud. Mi gewch yr hanner torth yn ôl, yn siŵr i chi. Nos dawch rŵan—neu bore da, ha, ha ! Yn ôl at y giang wyllt ’cw. A thancîw feri mytsh, Mrs. Wilias. Wna i ddim anghofio. ’

Ei dagrau mor boethion â lafa. Perlau mam yn disgyn ar y lliain bwrdd gwyn. Anwesu’r gwpan wag yn ei llaw.

‘ ’Does dim Duw ! Pa Dduw Cariad a fyddai’n caniatáu i fechgyn diniwed gael eu lladd a’u bwtsiera ? Pa Dduw Cariad a fyddai’n caniatáu i famau a thadau a theuluoedd golli’u pwyll ? ’

Yn ei chythraul, taflu’i chwpan orau a phlorod coch a gwyn yn britho’r llawr fflagiau. Plorod lle’r oedd rhosyn. Plorod coch a chrawn llwydwyn yn llygadu allan ohonynt. Crawn lliw teligram lle bu Edwyn.

‘ Mae ’nghalon i fel plisgyn ŵy, Edwyn bach, a dy gorff di fel darnau o tsieni rhywle yng ngwaelod y Môr Tawel. ’

Aros yn ei hunfan tan y bore. Ei llygaid fel y machlud.

'O ! Dad, bydd gydag Edwyn heddiw, os gweli'n dda. Cysura fo, a maddau i'w fam am neithiwr. Plîs, Dad, plîs. O ! rho nerth imi, a chofia am Edwyn. Cofia amdano, O ! Dad. '

Baich o olchi'n ei haros. Y potiau dŵr bron yn wag. Wedi anghofio nôl beichiau o ddŵr o bwmp Plas Robyn ddydd Sadwrn. Gynt, gwaith . . . Ffrâm cario dŵr amdano ac yntau'n nôl beichiau i'w fam ac i Lisa Morgan, a hithau, druan, yn cynnig brechdan iddo. Mynd i'r parlwr. Ei lun wedi'i fframio ar y wal uwchben y grât.

Na, ni allai oddef golchi heddiw. Gweld y dillad yn y doli twb yng nghanol yr ewyn gwyn, a hithau'n eu dolio fel arteithiwr. Eu manglo. Sŵn gwichian. Eu hongian ar y lein a gweld y gwynt yn eu chwipio. Chwip-chwap, chwip-chwap, fel fflangellu carcharorion.

Wedi blino. Codi'r llen du, a chilagor y llenni. Gorffwyso'i chorff ar y gwely.

' Oes 'na bobol yma ? '

Lisa Morgan.

' Mi ydw i yn y llofft, Lisa Morgan.'

Och ! Gwae fi am fod mor hunanol. A'r greadures fach mor fethedig.

'Rhen Lisa'n hwbian-hobian i fyny'r grisiau mynyddig, er mwyn ymweld â'i chyfeilles.

' Meg annwyl, ' meddai, gan eistedd ar erchwyn y gwely, a'i hanadl yn fyr, ' ydych chi'n gwla ? '

' Nac ydw, Lisa Morgan fach, dim ond wedi blino. '

' 'Roeddwn i'n amau bod rhywbeth yn bod pan na welais i mo'noch chi yn y tŷ golchi, na chlywed y mangl yn canu'r cantata 'na. '

' Yn fy mhen mae pethau'n cael eu manglo heddiw, Lisa Morgan. '

' Meg, mi fydd 'na gyngerdd yn 'sgoldy'r capel am saith nos yfory. Mae gen i awydd mynd gan nad ydw i wedi bod yn unman ers blynyddoedd, rŵan. Ond rhaid imi gael rhywun i'm helpu i gerdded yno ar fy hen sodla'. 'Wnewch *chi* fy helpu, Meg ? Fe fydd 'na banad wedyn hefyd. '

Calon Meg bron â thorri wrth iddi deimlo caredigrwydd ei chymdoges yn llifo drosti, a'i dillad golchi wedi'u clytio'n amryliw. Ond gwyddai mai fel Gardd o Flodau y gwelai Un garpiau Lisa Morgan. O ! *na feddai hithau ar ffydd yr hen wreigan ddiniwed a addolai ei Chreawdwr am ambell ddimai a chlytwaith a ffedog fras a phoen.*

' O'r gorau Lisa Morgan annwyl. Mi ddof i i'r cyngerdd. '

' Da 'merch i. Mi â'i rŵan i chi gael gorffwyso. Ceisiwch gysgu'n dawel. Gweddïau a chwsg ydi'r meddygon gorau i bob cur. '

Meg yn gafael yn nwylo crebachlyd ei chymdoges.

' Cymerwch ofal wrth fynd i lawr y grisiau. Maen nhw braidd yn serth. '

' O ! peidiwch â phoeni. Mi gydia' i'n dynn yn y canllaw. '

Methu ymlacio. Mynd i'r cyngerdd er mwyn Lisa Morgan ? Aros gartref ? Mynd . . . aros . . . mynd . . . aros . . . Codi o'i gwely ac edrych drwy'r ffenestr. Gweld baich o ddillad glân ar hoelbrennau ar ei lein. Druan o Lisa ! Dau faich mewn un diwrnod. Yn awr, *rhaid* oedd iddi adael Bryn Awel nos yfory. Cychwyn i'r cyngerdd yn fuan a Lisa'n crwbanu ar hyd y ffordd, gan afael yn dynn ym Meg a ymlusgai wrth ei hochr. Y cyngerdd wedi dechrau, eithr yr oedd tair sedd yng nghefn yr ysgoldy. Pypedau o bentrefwyr a adnabyddai Meg gynt. Drws yn disgyn mewn sgets. Y pypedau'n agor eu cegau ac yn cadw sŵn na chlywodd erstalwm. Gyferbyn â Meg, eisteddai pyped mewn het ddu. Ei gwallt yn wyn yn awr, ond pan oedd hi'n ieuanc gwallt gwinau oedd ganddi. Yr oedd Meg yn sicr o hynny. O, pwy oedd hi ?

Oedd . . . dyna fo, 'roedd ganddi ddau fab . . . Joey a . . . Joey a—O ! be' oedd enw'r llall ? Ie, arferai fyw yn Rhyd Oswyn, pentref oddeutu tair milltir oddi yno. Joey a *JIMI*. Llyn Jimi ! Wrth gwrs ! Mam Jimi ydoedd, sef llanc a foddodd yn y llyn ar draws y ffordd i Dan-y-Bondo.

Teligram wedi dod i'r Swyddfa Bost yn Rhyd Oswyn i'r Bonheddwr Hartley o Gastell yr Haf yng Nglan'rafon. Jimi'n actio'r golomen. Y Bonheddwr yn rhoi cil-dwrn iddo, a hwnnw'n llosgi twll yn llaw y llanc. Beth am alw yn y *Black Boy* am ddropyn neu ddau? Y golomen wedi newid ei ffurf am droellwr. Simsanu a syrthio i mewn i'r llyn gyferbyn â Than-y-Bondo. Dod o hyd i'w gorff—a'r ateb i'r teligram ar wyneb y dŵr.

Ni allai Meg ymatal rhag syllu fel gwenci ar fam Jimi. Am y tro cyntaf er pan ddaeth y teligram, teimlai ias fechan o gynhesrwydd yn cynnau yn ei chalon. Dechrau gwrando ar y cyngerdd fel pawb arall. Ann Coed y Garth yn canu :

Mae'r llong yn y porthladd
A Wiliam yn fyw . . .

Edwyn ! Mae Edwyn yn fyw ! Mae o ym Mryn Awel yn awr a'i fam oddi cartref. Diolch i Dduw bod Edwyn yn fyw !

Rhuthro fel ysgyfarnog allan o'r ysgoldy. Lisa Morgan yn ceisio'i dilyn, ond yn disgyn yn farw gelain rhwng dwy sêt bren. Pawb yn tyrru o'i hamgylch.

' Edwyn ! Mae Mam yn dŵad rŵan. '

Rhedeg a rhedeg tuag at Dan-y-Bondo. Teligram Jimi'n dal ar wyneb y llyn. Torri cangen oddi ar goeden a chyrraedd ato er mwyn gweld beth oedd ateb y Bonheddwr Hartley. Yr inc mor ddu â'r llenni ar ei ffenestri er ei fod wedi nofio ar wyneb y llyn ers blynyddoedd. Y fam yn ei ddarllen :

The War Office,
Whitehall,
*London S.W.*1.
10*th Oct.* 1943.

The Admiralty deeply regrets to inform you that Signalman Williams, E. 5743041 *has been killed while on Active Service for his Country. Please accept my sincerest condolences in your bereavement.*

Vice-Admiral Alexander Cowley-Hobbs.

' 'Rwy'n dod *yn awr* Edwyn,' meddai, gan ddal y teligram yn ei llaw. ' Mae dy fam wedi aros hyd y diwedd.'

Ac unwaith yn rhagor, cynhyrfwyd y dyfroedd, a theligram Edwyn fel cofeb ar wyneb Llyn Jimi.

DOLI GLWT

Ymloliai Siwan yn niddosrwydd clydfyd ei gwely, gan ddandlo Doli. Er y dangosai'i hwyneb creithiog olion henaint, a bod ei phlethi duon yn llwch-fritho, Doli, gyda'i chorff unionsyth, llygaid botymau, ei thrwyn smwt, a'r gwefusau gwaetgoch a wnïwyd i wenu drwy'i hoes, oedd hen ffefryn Siwan.

'Amser codi, Siwan!' gwaeddodd ei mam o waelod y grisiau. Eithr cyw bach melyn yn methu ymadael â'i nythfa oedd Siwan y bore hwnnw. Cofleidio Doli a chusanu'i bochau crempog. Coesau Siwan yn ymagor wrth iddi anadlu'n ddwfn.

'Am y tro olaf, Siwan . . . cofia fod gennyt ti gêm hoci yn erbyn Ysgol Bryn Siriol am ddeg o'r gloch. Brysia rŵan, 'ngeneth i!'

''Ngeneth i.' Pam yr oedd yn rhaid i'w mam gyfeirio ati fel hyn byth a beunydd?

Ond, rhaid oedd iddi adael y nyth yn awr. Pipian drwy'r llenni—diwrnod glawog, a'r gwynt yn lladd y dail gyda min dewinol ei gledd. Syllu ar Doli—dim ond am unwaith eto.

'Bydd yn eneth dda, 'nghariad i. 'Fydda' i ddim yn hir.'

Ceisio'i gorau glas i'w gadael, eithr teimlai'n euog wrth weld Doli'n gorwedd yn y gwely'n ddisgwylgar.

'Paid â'm herian i o hyd efo dy wên, Doli annwyl. Mi wyddost ei bod hi'n hen bryd imi hel fy nhraed rŵan.'

Y wên gadwynog yn pigo'i chydwybod. Siwan yn penderfynu cwpanu'i chlustiau rhag geiriau'i mam. Hudwyd hi'n ei hôl gan rym na allai Siwan ei amgyffred. Llais y gwynt yn siffrwd, 'Paid â chyffwrdd â Doli, Siwan! Paid!' Y glaw yn cnocio yn erbyn y ffenest i geisio tynnu'i sylw. Eithr fe'i parlyswyd gan y wên a garai.

‘ Siwan, ’ngeneth i, mae Siôn wedi codi ers pum munud. Os na fyddi di yma ’mhen chwinciad, mi anfona’i dy dad atat ti. ’

Y geiriau’n dân ar ei chroen . . . ’ngeneth i . . . dy dad ’ngeneth i . . . dy dad . . . dy dad . . . dy da—. . .

Yn ddiarwybod iddi, gafael yn dynn yn Doli. Croesi a gwasgu’i choesau at ei gilydd. Rhy hwyr ! Tywyswyd hi gan wên o edau a daliwyd hi yng nghrafangau Doli. Honno’n ei thylino gyda grym pobydd. Siwan yn crynu drosti . . . edrych i mewn i’r wyneb . . . y llygaid gleision dan guwch du . . . trwyn pigog . . . . pigo’i chnawd . . . ei gogleisio . . . pigo, pigo, pigo, fel heidiau o chwain chwantus. Y crafangau’n ei throi ar ei chefn. Chwarae chwip a thop ar ei phen ôl.

‘ O Doli . . . plîs Doli . . . paid. Mi . . . ydw i’n dy . . . *garu* di . . . Doli. ’

’D ydy Doli ddim am stopio !
Mae Doli’n mynd i chwipio !
Chwipio ! *Chwipio* !
Un ! Dau ! Tri !

Y wên ar yr wyneb cyn goched â’i chnawd. Doli’n chwythu arni a hwnnw’n brifo fel finegr ar friw. Clywed ei chorff yn briwsioni. Cofio am ei mam yn rhoi tefyll o fara mewn peiriant malu. Briwsion ei chorff yn ffrio ac yn ffrwtian mewn saim crasboeth o lafa. Doli’n hyrddio talc baban ar ei chnawd nes oedd Siwan yn ddim ond dotiau coch a gwyn.

Wedyn ar ôl yr holl fflangellu, gorweddai Doli’n dawel wrth ochr Siwan. Mwyach, ni allai edrych arni, dim ond ochneidio wrth feddwl am y geirfriw eiriau a ddywedodd wrthi, a hithau’n gorfod ufuddhau.

‘ Rho dy goesau ar led, ’ngeneth i. ’

Clywed bysedd Doli yn chwilota am rhywbeth y tu mewn i’w chorff.

‘ Paid, Doli ! Plîs, Doli ! ’

' Ond mae hyn yn neis, Siwan. '

' Mae'n *brifo*, Doli ! '

' Rŵan Siwan, 'dwyt ti ddim i yngan gair am hyn wrth Mami pan ddaw hi adref o'r ysbyty. Wyt ti'n deall, 'ngeneth i ? Ac os dywedi di air wrth Mami wyddost ti be' wnaiff ddigwydd ? '

Llif o waed misglwyf Siwan yn . . .

' Mi wnaiff y *fan yma* waedu am byth, am dy fod wedi cario cleps. '

Yn sydyn, trodd Siwan at Doli.

' O Doli, mi ydw i'n cofio rŵan ! Nid . . . *DADI* ! Dos oddi yma y cythraul budr—meddwl na fyddwn i'n cofio . . . ond mi ydw i *wedi* cofio *popeth DADI* ! *POPETH* ! Y mochyn . . . '

' Be' sy'n digwydd yma ? ' gofynnodd y fam a frasgamodd i fyny'r grisiau ar ôl clywed gweiddi yn y llofft fel petai'n ddiwrnod lladd mochyn.

Siwan yn codi o'i gwely.

' Dywedwch wrth Mam, *Dadi*, cyn i minna' ddweud y cyfan wrthi ! Dywedwch wrth eich gwraig be' wnaethoch i mi pan oeddwn i'n bedair oed a mam yn yr Ysbyty'n disgwyl Siôn ! Deng mlynedd ! Deng mlynedd heb gofio dim—ond 'does gan ddoli glwt ddim bysedd. '

' Ydi hyn yn wir Rhodri ? '

Plygu'i ben yn unig a wnaeth ei gŵr.

Siwan yn igian crio wrth gofleidio Doli—y ddoli a wnïodd ei mam iddi ychydig wythnosau cyn genedigaeth Siôn.

SERCH

Dwy res hir o ddioddefaint yn llenwi'r ward. Pawb wedi'i chwistrellu i gysgu. Pawb yn gorffwyso'i ben ar ei glustog fach. Pawb mewn cwsg oedd yn drymach hyd yn oed na'i bryder. Ond heno, ni ymollyngai Gwenno i wlad y breuddwydion. Na, rhaid oedd iddi wylo. Crio a chrio wrth ail-fyw'r gwewyr. Gorwedd yn ddisgwylgar ar droli. Nodwydd yn treiddio i mewn i'w llaw. Gweiddi wrth iddi gael ei gorchfygu. Triniaeth drydanol arall ar ben. Ie, ar ben. Wedi gorffen. Heno, ni allai dewi.

' Mi ydw i'n dal i'w garu o, er gwaethaf popeth . . . mi ydw i'n dal . . . '

Nyrs yn brysio tuag ati.

' Gwell i chi fynd i gysgu rŵan, Gwenno. Mae pawb arall wedi bod yn hel moch i'r ffair ers meitin. Mi ddof i'n ôl ymhen pum munud gyda chwistrelliad bach o faliwm i chi os byddwch chi'n effro o hyd. Gorffwyswch, cariad. '

Faliwm. Cariad. Beth oedd yr enw arall ar faliwm ? Diazepam ? Rhyfedd bod dau enw ar yr un gorchfygwr. Homo . . . Gay . . . gwrywgydiwr—o ble y ceid faliwm ? O'r pabi ? Ie, o flodyn.

Troi'i llygaid briw at y cwpwrdd bach yn ymyl ei gwely. Deg rhosyn pinc mewn llestr plastig. Yr unig flodau yn y ward heno. Y symbolau eraill o fywyd mewn ystafell arall yn aros am y bore.

' Gadewch imi roi'r blodau hardd 'ma mewn lle diogel tan yfory, ' meddai'r nyrs wrthi cyn i bawb fynd i glwydo.

' Peidiwch â beiddio'u symud nhw. '

Y nyrs yn gwenu'n amyneddgar.

‘ Ond Gwenno fach, efallai y cnociwch chi nhw wrth fynd i’r toiled yn y nos. ’

‘ Mi bisa’ i yn y gwely. ’

Na, ni châi neb ddwyn ei rhosod hi. Deg rhosyn perffaith. Ond weithiau byddai natur yn methu, meddai’r seiciatrydd.

‘ Er ei fod o’n . . . er gwaethaf . . . serch hyn . . . ’

Hywel a roddodd y rhosod iddi. Pryd oedd hynny ? Echnos ? Wythnos yn ôl ? Ond yr oeddynt wedi gorffen gyda’i gilydd erstalwm. Hiraeth am gael gweld Hywel unwaith eto cyn derbyn y ffaith. Chwys oer yn gogleisio’i chorff. Syllu ar y rhosod. Chwenychu cyffwrdd ag un blodyn perffaith. Y cusanau cyntaf. Methu’n lân â chysgu ar ôl cyrraedd adref. Gorwedd yn ei gwely ac ail-flasu’r cusanau. Ei choesau’n llithro’n agored a hithau’n boddhau’i chwant.

‘ Fedra’ i ddim dod allan gyda thi heno Gwenno. Mi ydw i am fynd allan gyda’r bechgyn. Mi ffoniaf rywbryd. Hwyl iti rŵan. ’

Bwrw ati gyda’i gwaith. Ysgrifennu tan amser cinio. Efallai y gwnaiff o ffonio. Pigo’i bwyd. Y ffôn yn canu’n addawol.

‘ O helo Anti Jên. Ydi, mae hi’n braf iawn heddiw. ’

Darllen talpiau o’i thraethawd ymchwil. Aildrefnu nes bod pob paragraff wedi’i saernïo’n berffaith.

Nôl rhosyn arall ati at y gwely. Hywel a Gwenno.

‘ Un tro aeth Hywel a Gwenno am dro i’r wlad. ’Roedd y tywydd yn braf a’r haul yn gwenu uwchben. Cerddodd y ddau am filltiroedd. ’Roedd yr adar yn canu yn y coed, a’r awel fwyn yn lolian yn chwareus yng ngwallt Gwenno. Teimlai’n ddel mewn trowsus tyn, du, a blows las gyda rhes o fotymau’n agor i lawr y blaen. Penderfynodd Gwenno eistedd ar y glaswellt i gael picnic. Eisteddodd Hywel yn daclus yn ei hymyl gan fwyta brechdanau ac yfed *Coke*. Wedyn, dywedodd Hywel yn sydyn, “ Mae’n hen bryd inni fynd adref Gwenno—” ’

‘ Shut up, will you, there are other people in this ward who need their sleep, ’ ysgyrnygodd y wraig yn y gwely nesaf.

‘ I’m sorry. I hadn’t realised I was talking. ’

‘ Well, you were. Think about other people for once. ’

Other people. Y criw. Y bechgyn. ’Roedd y rhosod eraill ganddi’n awr. Pa rai oedd Hywel a Gwenno ? Chwilota. Y blodau’n ddryswch ar hyd ei gwely a’r drain yn pigo’i bysedd. Meic a Huw a Dafydd a Gruff a Rhodri a . . .

Sŵn gwydrau a chloncian piano a siarad yn llenwi’r *Hare and Hounds*. Eistedd wrth fwrdd bach yn y gornel gan ddisgwyl i Hywel ddod â’r ddiod. Teimlo’n swil wrth weld haid o ddynion yn barcuta ar ei chorff gosgeiddig. Un ohonynt yn cilwenu’n awgrymog ar Hywel wrth iddo ddychwelyd o’r bar. Yntau’n gwenu’n ôl yn ddigon hynaws.

‘ Dyma ti, Gwenno. Fe fydd Meic a Huw yma ’mhen munud. ’

‘ Helo Hywel, sut wyt ti erstalwm ? ’

‘ Alwyn ! Wel Alwyn bach, ’stedda i lawr efo ni. Iesgob, ’dydw i ddim wedi dy weld ers blynyddoedd ! Lle’r wyt ti’n gweithio rŵan ? ’

‘ O, mewn banc ’rydw i. Digon diflas mewn gwirionedd. Ond dyna fo, rhaid cael pres byw o rywle. Mae gen i wraig a theulu rŵan, wyddost, ’ meddai’n falch.

‘ Ych-a-fi ! Be’ gymeri di i yfed ? ’

‘ Guinness wnaiff yn iawn, diolch iti. ’

‘ Dau funud. ’Stedda i lawr inni gael sgwrs wedyn. ’

Munud o dawelwch a Gwenno’n gwthio’i bysedd hirion i mewn i greiddiau’i phocedi.

‘ Gwenno ydw i. ’

‘ Mae Hywel yn foi lwcus iawn i dy gael di’n gariad. ’

‘ O, ’dydyn ni ddim yn gariadon, Alwyn, ’ meddai Hywel, gan roi’r gwydrau ar y bwrdd. ‘ Un o’r criw ydi Gwenno.’

Ei bochau’n eirias. Ei llygaid yn pigo.

‘ Mi ydw i am ei hel hi oddi yma, Hywel. ’Dydw i ddim yn teimlo’n dda. ’

‘ O, diar. Wyt ti’n ddigon da i yrru dy gar ? ’

‘ Wrth gwrs ’mod i. ’

‘ Wel cymer ofal. Mi ffonia’ i rywbryd i . . . ’

Ymwthio allan o’r dafarn. Rhuthro at ei char. Ei phen yn *fenagerie* o synau. ’Dydyn ni ddim yn gariadon, Alwyn . . . un o’r criw . . . ddim yn gariadon . . . Gyrru a gyrru am oriau. Gorwedd mewn gwely yn rhywle. Rhywun yn ei chysuro. Dyn caredig yn gafael yn ei llaw ac yn siarad a siarad a siarad â hi. Daeth Hywel yno unwaith hefyd.

‘ ’Rydw i wedi nôl tusw o flodau iti Gwenno. Dyma nhw, ’ meddai gan eu rhoi ar y cwpwrdd bach.

‘ Sut ’roeddet ti’n gwybod ’mod i’n hoffi rhosod ? ’

‘ Wel, mi fydd Mam wrth ei bodd efo rhosod bob amser, ac mae’n siŵr dy fod ti’n hoff ohonyn nhw hefyd. ’

‘ Diolch iti am ddŵad, Hyw. ’

‘ Hyw . . . Hyw . . . Hywel ! ’

‘ Trowch ar eich ochor rŵan, Gwenno. Un pigiad bach i chi fynd i gysgu. ’

Y nyrs yn plicio’r blodau oddi ar ei gwely.

‘ Mi ’rydw i’n ei garu . . . ’

‘ Gorffwyswch, Gwenno. Mi aiff y pwl yma toc. ’

Â chwsg yn ei threchu, gwelodd Gwenno briodferch yn rhodio ar hyd y ward. Ond drannoeth, dyna lle’r oedd y rhosod unwaith eto ar ei chwpwrdd bach—deg rhosyn pinc yn dechrau gwywo.

BETH YW'R OTS ?

Crafangau gefeiliau a lusgodd fabi Fflori Lloyd i'n byd. Tybed, Toni, a gefaist yn eryraidd oriau'r esgor, gip-olwg ar ba ochr i ddimai'r Goron y mynnai ffawd iti gil-fyw—mewn gefeiliau ?

' Bachgen *arall*—"six in a row", myn diawl. 'Rhen ffŵl gen i wedi bod yn gobeithio mai geneth fyddai'r lwmpyn. Mae'n siŵr o fod cyn ddioced â'i dad—diog mewn un ystyr . . . '

' Dyma'ch bachgen bach chi, Mrs. Lloyd—chwe phwys a hanner, ' meddai'r fydwraig.

' Chwe phwys a hanner ? 'Roeddwn i'n meddwl y byddai o'r un pwysau â babŵn ar ôl yr holl godl-bonsh 'na. 'Dach chi wedi rhoi sgwriad go iawn iddo fo ? Cofio efo'r cynta'—minna'n mynnu'i weld o'n syth bin, a dyna lle'r oedd o'n cwafrio'n swp o sleim yn 'y mreichia'—jyst fel pysgodyn ! Ych-a-fi ! '

' Mae'r bachgen bach 'ma cyn laned â gwisg nyrs. O, Nyrs Ifans, helpwch Mrs. Lloyd i ddiosg ei choban. ' Bariliau o fronnau wedi sigo a thethi crwn fel *gob-stoppers*. ' Rŵan dodwch y baban ar y fron—yn araf. '

' Uffern dân ! Dyma'r *chwechedd* imi fwydo. 'Sgwn i faint o blant sy' gennych chitha', Sistar ? '

Gwrido a wnaeth Nyrs Ifans.

' Un ferch fach sy' gen i, Lleucu. Teir blwydd oed o harddwch cynhenid, a chroten o lawenydd, er mai stympiau bach o freichiau sy' ganddi, ' atebodd Sistar Roberts yn gwbl hunanfeddiannol.

' O, feri sori, Sistar. Rŵan ta, 'r hen "forceps baby", mi wyt ti wedi cael llond dy fol—mi wn i'n iawn sut 'rwyt ti'n teimlo !—ac mi fydd 'na stelniach o gawl mêl-felyn yn ffrydio allan o'r pen arall erbyn 'byddan nhw wedi gorffen 'mrodio i. O'r diawl bach ! Sistar ! Mae o wedi taflu'i berfedd i fyny. '

' Peidiwch â phoeni. 'Fyddwn ni ddim chwinciad yn 'molchi'r pwt bach. '

Ond glynu at f'enw a wnaeth fy mudreddi. ' Forceps baby ' oeddwn i am wythnos—am 'i fod o'n ormod o joban i Mam a Dad feddwl am enw i'w mab diod.

Rhyw ddiwrnod cyn mynd o'r ysbyty gofynnodd Mam i un o'r nyrsys be' oedd enw'i chariad. Gwenodd, gan ddweud yn swil, ' Toni '.

'Does 'na neb yn malio sut 'bydda' i'n sillafu'n enw—Toni neu Tony. Un o'r ' Lloyds Lads ' ydw i, felly, beth yw'r ots?

* * *

Hy ! Beth yw'r ots os oeddwn i'n ormod o faich i'm cogfam ? Fy ngadael fel peint o laeth wrth ddrws rhyw feithrinfa. Potelaid o laeth a dymi'n ddegwm. Plentyn siawns ydw i, mae'n siŵr. Ond dyna fo, ddyliwn. 'Roeddwn i'n lwcus i gael fy mabwysiadu. Olga, y baban croenddu yn blentyn i fam wen.

* * *

Gwyddwn y byddai Islwyn a Sistar Sara Roberts wedi byw yng ngorfoledd cyffion dim ond i esgyll Lleucu brifio—eithr cyw bach melyn y nyth a fyddai'r ferch hardd ddi-lun am byth.

Ganol haf, a Lleucu yn ei choets gyda'i siôl eira-eirlysiau yn rhy dynn amdani. Yn aml breuddwydia'i mam am ymolchi breichiau'i babi, sgeintio powdr arnynt a'i chlywed yn chwerthin nerth ei phen gwallt sidanwe wrth iddo'i gogleisio. Troelli bys ar ei llaw doli a Lleucu'n gwenu wrth glywed Cylch y Tylwyth Teg yn dawnsio dros ei dwylo. Torri'i hewinedd pinc. Torri ewin i'r byw. Gwaedd yn ei thywys yn ôl o'i breuddwydion. Na, nid doli fach berffaith mo Lleucu, eithr baban iasfyw.

Trotian drwy'r parc yn ei mantell wen gan wylied a gwenu ar y plantos eraill yn siglennu yn yr awel greulon o fwyn.

'Fi Mami! Fi!'

'Tyrd at y blodau neis 'ma gyda Mami, Lleucu.'

'*Fi* Mami! *Plîs* Mami! *PLÎS.*'

Cil-edrych yn ôl. Crio heb fawd i'w swcro; wylo wrth weld y blodau.

'Mae Lleucu'n mynd i'r ysgol 'fory!'

Yn Adran Arbennig yr Ysgol, lle bûm i, Joanne Rees yn athrawes am gyfnod, unwaith yn unig, Lleucu, y gwelais d'argae haearnaidd yn chwalu, ac ni allaf byth yngan y geiriau 'Beth yw'r ots?' am y creulonderau a dderbyniaist o enau plant bach—a mawr.

''Dydi *Lleucu* ddim yn crio, nac ydi?' meddwn gan sychu'r rhaeadrau iddi.

''Does arna i . . . ddim isio . . . dŵad i'r . . . ysgol eto, . . . Miss . . . Miss Rees. Byth . . . *Byth* . . . *BYTH* . . .'

'Wel pam Lleucu? 'Dwyt ti ddim yn hoffi Miss Rees?'

'Ydw,' meddai, 'ond y bechgyn mawr . . . yn deud mai pysgodyn . . . ydw i . . . a Wili Johnson yn deud "*leave her alone . . . she's armless enough*!" A phawb arall gyda breichia'n chwerthin.'

* * *

Yn awr, a minnau'n hen wreigan yn byw heb eisiau arnaf, gallaf droi'r dail yn ôl drwy dymhorau'r meddwl, yn ôl dros bob deilen ir, a thros ddail a hydrefodd o'm plegid innau. Och! Hyd yn oed yn awr, gallaf glywed deilios yr haf yn crebachu yn fy nwylo. Crino a chlindarddach. Amryliw atgofion am yr ysgol gyntaf un y dysgais ynddi. Mor fyw y lliwiau ! Mor drydanol fyw, a phob gwich o sialc yn melltennu i mewn i'r bwrdd du.

Gwyn . . . du—Olga.

' Be' sy'n bod Olga ? Pam 'rwyt ti'n crio ? '

' Mi ydw i'n iawn diolch, Miss Rees. '

Du a gwyn—lliwiau natur. Seren wen ar wrthban dudew nos ; ŵyn du a gwyn yn prancio yn yr un meysydd ; pridd yn famaeth i flodau gwynion.

' Pwy sy' wedi bod yn dweud pethau cas wrthyt ti, Olga ? '

' Neb . . . neb ond Carla a Sandra . . . fe ddwedson nhw . . . na byddai Mrs. Huws yn caniatáu imi goginio tarten jam yn y wers Egwyddor Tŷ heddiw—am fod . . . am fod fy nwylo i'n dduon. Ddaru nhw ddeud 'byddai'r athrawes yn fy nefnyddio i fel jam cwrens duon . . . am fod llun goliwog . . . fel fi . . . '

* * *

Erbyn hyn, chwalwyd yr ysgol. Do, lloriwyd hyd yn oed hufen y VIed dosbarth i lawr i'r un gwastadle â llaeth sgim dosbarth I D.

' Toni, tyrd i eistedd yn nes aton ni, er mwyn iti glywed y stori'n iawn. '

' Ddim isio, Miss. '

' Na, 'does arnon ni ddim mo'i isio fo 'chwaith, 'chos mae o'n drewi. Mae'r "Lloyd's Lads" i gyd yn drewi, ' meddai Jac, gan begio'i drwyn rhwng bys a bawd nes y deuai rhimynnau o gwstard drwy'i ffroenau. Sychu'r saws yn ei gôt cyn ei lyfu fel lolipop.

' Ofynnais iti siarad, Jac Watson ? '

' Ond *mae* o'n drewi fel trol ga— '

' Dyna ddigon Jac. '

Gwna d'orau glas i'w distewi, Daniel bach.

‘ ’Rŵan, ’rydyn ni am ddechrau darllen. ’

Diolch byth, yr oedd y bois wrth eu boddau’n darllen am yr ‘ Ymladd Ceiliogod ’, a boddwyd sŵn rownd ddiwetha’r dydd gan ‘ HWRE ’ i’r Mohammad Ali o ‘ Gobyn ’. Eithr gwefr na gwên nid oedd ar wyneb Toni. Eistedd yn rasusol nes i gân y rapscaliwns gyrraedd pellteroedd coridorau’i feddwl.

Coc-y-dŵ-dyl-dŵ-o !
Cobyn sy wedi cur-o !

Toni’n plygu’i ben, a’i fwng tywyll mor ddi-sglein â charreg dwyll yng nghanol tân o lo disgleirddu.

‘ Toni, ’wnei di gasglu’r llyfrau gwaith cartref a llyfrau *Gwen Tomos* imi, os gweli’n dda ? ’

‘ Olreit, Miss, ’ cryg-sibrydodd, gan gyflawni’i dasg mor ufudd-fethiannus â hen gi defaid.

A minnau’n cogio marcio, hawdd oedd gweld dafnau o haul yn ei gôt ysgol, a’i drowsus o wead mor frau â gwerslyfrau di-asgwrn-cefn I D.

‘ Dyma nhw, Miss. ’

‘ O diolch yn fawr iti Toni. Am fachgen da ! ’

Gwên-wynt baban yn dangos tawch melynrawn yn glynu fel gloi at ei ddannedd. Aroglau trôns budr a chwys mochyn yn ymgymysgu â’i gilydd.

‘ Mi wyt ti’n byw yn y pentre’ ’ma, on’d wyt Toni ? ’

‘ Ydw, Miss. Banc Row. ’

‘ O ie, wrth gwrs. Mi wn i. Pa rif dywed ? ’

‘ Os dweda i wrthych chi ’newch chi ddim sbio ar y tŷ, na ’newch Miss ? ’ meddai gan grio.

‘ Toni, be’ sy’n bod ? ’

‘ ’Dwi ddim ’di gneud y gwaith cartra’ i chi. ’Does ’na’r un o’r “Lloyd’s Lads” yn cael gneud gwaith cartra’. ’

‘ Pam Toni ? ’

‘ Wnaiff Mam a Dad ddim gadael inni. Gorau po gynta ’r aiff teulu Abram Hwd i gyd allan i weithio, medden nhw. Mi driodd Adam, 'mrawd hyna' roi farnais ar focs pensils i'w waith cartra *woody* unwaith. Ond ddaru Dad 'i ddal o'n cuddio yn y cwt glo, a mi daflodd y bocs i'r tân a rhoi uff—a beltio Adam nes oedd o'n gwaedu'r un lliw ag ewinedd hir Sharon y "Chippy". Chi'n gweld Miss, mae'r titshiars eraill i gyd yn gwybod am hyn ac felly fyddan nhw byth yn ponsio efo ni. '

Gwyddwn mai gwir pob gair ei stori. Amlinellwyd yr hanes imi gan bennaeth yr Adran, eithr pan golurwyd yr aelwyd hon imi gan un o'i phlant chweinllyd, a dim ond ei ddagrau'n lân, rhaid oedd i minnau gyd-ganu a wylo'n unig gyda Toni'r tenor yn *Pagliacci*.

' Toni, mae gennyt ti ddigon yn dy goryn, wyddost ti. Ac os gweithi di'n galed imi *drwy'r flwyddyn*, mi fyddi di yn Nosbarth II C y flwyddyn nesaf. Ond rhaid iti wneud d'orau glas imi o hyd, iawn ? '

' Grêt ! Mi weithia' i fel bla—sori Miss, ond mi 'na i weithio *full speed ahead* zwm-zwm ! ! Iesgob, y fi fydd y cynta' o'r "Lloyd's Lads" i fynd i ddosbarth C ! Gwitsiwch chi tan i mi ddeud wrth y clomennod ! '

' Colomennod ? '

' O ie. Mi fydda' i'n magu clomennod ac yn siarad am oriau efo nhw yn y cwt. 'Dydw i'n hidio dim am y ca—baw, achos fy ffrindia' fi ydyn nhw. Weithia', mi fydda' i'n dal fy nwylo allan—jyst fel y llun 'na o Iesu Grist yn nosbarth *Holy Joe*, ac mae'n rhaid bod nhw'n meddwl y byd ohono i, achos dyna lle mae'n nhw'n dŵad, wadl-wadl, wadl-wadl i bigo'r bwyd. Gollwng nhw allan o'r cwt a'u gweld nhw'n tosian nerth 'u hadain fel y trapîs yn "*BILLY SMART'S CHRISTMAS CIRCUS*". Mynd yn bell o Banc Row, yn rhydd yn yr awyr a minna'n 'u gwatsiad nhw nes imi orfod crychu fy llyg'id fel hyn. Edrych ymlaen at weld y cwbwl lot yn dod *back to base* ata' i, ac yn cysgu'u hochrau yn y cwt glân. '

Daliai ei lygaid i befrio fel to teils wedi storm o law. Yn wir, nid oeddwn yn sicr a oedd yn fy nghlywed yn siarad.

‘ Yli, Toni, er mwyn inni gael dy baratoi di’n iawn erbyn II C, pam na wnei di aros yn y dosbarth am hanner awr ar ôl yr ysgol ? I ddechrau arni, mi wnaiff y ddau ohonon ni fwrw ati i lunio Llyfr Lloffion am Golomennod. ’

‘ Grêt Miss ! O diolch yn fawr i chi Miss Rees. Pryd . . . ’

Cnoc ar y drws. Cur yn fy nghalon a bery byth o’i blegid.

‘ Esgusodwch fi, Miss Rees, ond y mae’r Prifathro’n gofyn a ydych chi’n cofio am y Cyfarfod Athrawon am bedwar o’r gloch ? ’

‘ O’r Archlod Fawr ! ’Roeddwn i wedi anghofio popeth amdano. Diolch i chi Catrin, ’ meddwn, gan ei haldio hi i’r Ystafell Athrawon.

‘ Pwysicach pwyllgorau na phlant. ’ Gwae fi ! a maddau imi, Toni, os medri di. Hyd yn oed yn awr, gallaf dy ddychmygu yn diffodd y golau yn fy nosbarth y diwrnod pefr-brudd hwnnw, cyn dychwelyd tuag adref yn esgidiau crychog dy hynafiaid, a thithau Toni, cyw y ‘ Lloyd’s Lads ’ yn gofyn un cwestiwn i ti dy hun . . .

ALMA

Yng nghanol llygadau poethion haul mis Medi, tawch Calan Gaeaf a amgylchynai Alma wrth iddi ysbryd gerdded ar hyd y Lôn Gul i'r siop flodau.

Pam y penderfynais brynu rhosod i mam ar ei phen-blwydd ? Ymhen wythnos fe fyddant wedi gwywo. Rhai'n dioddef yn gan-seraidd cyn ildio fesul petalen ac yna'r galon yn sigo gan orthrwm y Corwynt Ysgafn. Eraill yn crino marw a'r ceuladau gwaed dugoch yn dystion i'w ffawd. Amlosgi creadigaethau wythnos oed. Ai hawdd anghofio hen harddwch yng nghanol fflamau gwewyroer ?

Cloch unsain siop *Thelma's the Florist* yn ei dihuno.

'O ! Helo Miss Roberts ! Am ddiwrnod braf ! Mae popeth wedi'i baratoi i chi—dyma nhw, deg o rosod coch perffaith. Mae'n ddrwg gen i os ydi'r pris *braidd* yn danllyd wrth gyffwrdd â'r bysedd, ond wyddoch chi, gyda'r hen V.A.T. 'ma, a blodau mor— '

'Lle mae'r drain ? ' Ataliwyd ei phrysurdeb stond gan y cwestiwn. Pwt o chwerthin-bach-neis. 'O ! fe fyddwn ni yn *Thelma's wastad* yn torri'r drain. Na, chewch chi na neb arall bigyn yn eich bys . . . '

'Ylwch, cadwch y "deg o rosod coch *perffaith*," ond cym-erwch y darnau o arian amdanynt er mwyn i chi glywed eich til yn tincial ei "thancîw",' ebe Alma, gan wadnu allan ar ei hald.

Arthiodd Thelma ar ei hôl, 'Pe bai cystal min ar fy siswrn i ag sydd ar eich tafod chitha' Alma Roberts, mi faswn i wedi snipio pob coeden yn y Fforest Ddu cyn pen chwinciad llygad llo bach. '

Ysgubau o ddail marwolaeth gwanwyn a haf yn clin-darddach ym mhen Alma a hithau'n crychu ei llygaid gleision i atal y gwlithlif cyn mynd i'r siop lestri i ddewis anrheg arall. Crechwen y wraig yn *China Town* yn peri i Alma syllu ar ei horiawr a sylweddoli'i bod bron yn amser cau. Crafangu am y llestr nesaf ati gan dalu'n ddrud amdano.

'Anrheg ben-blwydd i rywun arbennig ?' gofynnodd y siopwraig yn hamddenol, a'i gwên fel un priodferch wrth weld bod Alma wedi hebogi un o'r llestri gorau yn y siop.

'Ie, mae hi'n ddiwrnod pen-blwydd Mam 'fory.'

'O ! dyna neis, pen-blwydd ym mis Medi.'

'Mis . . . mis Medi ? Yr unfed ar . . .'

Alma'n simsanu. Llewygu. Dadebru, a chlincian llestri trwch petalau yn ei hatgoffa o sain telynau'r Nefoedd. 'Mam . . . Mam . . . Ma—'

'O brensiach y brain ! Mae'n iawn cariad—dim ond llewygu 'wnaethoch chi. 'Steddwch ar y gadair 'ma am funud imi nôl diferyn o frandi a dŵr i chi—dyna chi. Rŵan, mi rodda' i'r llestr bendigedig 'ma mewn papur sidan a phapur lliwgar efo "Happy Birthday Dear Mother" arno. O ! dyma un del . . .'

'Na ! Peidiwch ! Gwell gen i'r papur gloyw-goch 'na, os gwelwch yn dda. Yr un heb arysgrifen arno o gwbwl.'

Am eiliad cyfan, syrthiodd gwep y siopwraig, eithr buan y cofiodd am y saig a gâi wrth lyfu'i bysedd, a hithau wedi gwerthu'r llestr drutaf a feddai.

'Mae'n wirioneddol ddrwg gen i am achosi'r holl drafferth 'ma i chi.'

'Trafferth yn wir ! Lol !' meddai, wrth dorri'r selotêp i uno'r papur, 'digon hawdd i unrhyw un lewygu ar ôl stem o waith caled. Ydych chi'n gweithio yn y cyffinia' ?'

'Athrawes ydw i yn Ysgol Bryn Teg,' meddai Alma fel sombi gan godi oddi ar y gadair cyn i 'Mrs. Pryd-pam-sut-lle-a-phwy ?' olrhain achau'i holl deulu. 'Wnewch chi dderbyn siec ? Dyma 'nghherdyn banc i.'

'Iawn. Deugain punt a chweugain, os gwelwch yn dda.'

' Dyna ni, ' meddai gan sbecian ar ei horiawr i sicrhau bod y dyddiad yn gywir. Estyn ei breichiau am yr anrheg. Gwrido fel man-geni gwaetgoch wrth i'r siopwraig ei cholio : ' Athrawes nad yw'n gwybod pa amser o'r dydd ydi hi, na pha dymor, heb sôn am y dyddiad cywir ydych chi, mae'n amlwg. '

Alma'n syllu ar y dyddiad ar y siec.

' Mae'n ddrwg gen i am y camgymeriad. Siawns bod nam bach wedi digwydd i dröell y dyddiad ar yr oriawr, dyna'r cyfan, ' meddai Alma gan daflu'i llais athrawesaidd at y siopwraig.

' Mi ysgrifennaf siec arall i chi—dyna derfyn ar yr holl helynt. Fe welwch bod y dyddiad cywir—10 Medi, 1980 ar y brig yn hytrach na'r 20 Mawrth. '

Sodrwyd yn anrheg i freichiau hir-ddisgwylgar Alma, a hynny heb godi'i llygaid, yn union fel pe bai hen geiniogau galar wedi'u gosod arnynt. Yn wir, ni bu Alma erioed mor falch o glywed tinc ungloch y drws yn gorfod dweud ffarwel. Cloch yr ysgol, clychau'r siopau—a chlychau'r gog yn llenwi Llecyn y . . . Llecyn y . . . Beth oedd enw'r fan ? Y fan . . . y fan lle . . .

Stelcian tuag adref . . . efallai y cofiaf . . . a'r anrheg a wthiodd i'w bag marcio . . . efallai y cofiaf . . . yn bwn ar ei henaid.

' Paid â phoeni, Siani fach, mi ddaw adref yn y man. '

' Ond Huw, mi wyddost o'r gorau . . . '

' Dyna ddigon o . . . '

' Pum mlynedd ar hugain yn ôl—ganwyd y peth bach ddiwrnod cynta'r gwanwyn. "Blodyn cyntaf y gwanwyn", yr un harddaf a grewyd erioed oedd geiriau Sistar Huws. Ac mi *oedd* hi'n hardd gyda'i llygaid gleision, a'i chnawd purwyn oedd feddaled a chynhesed â'r swcwr a dderbyniai maban ym mynwes ei mam . . . '

' Yli ! Dyma hi'n dod rŵan—yr hen Siani-hel-bwganod ! '

Cyrraedd ' Y Nyth ', a sain hoelen yn codi o arch cariad oedd clywed clicied y glwyd.

' Alma fach, be' sy'n bod ? Mae hi bron yn naw o'r gloch. O ! Alma ! '

' Mae'n ddrwg gen i Mam, ond mi oedd 'na Gyfarfod Athrawon ar ôl yr ysgol, ac wedyn . . . ac wedyn mi es i i fflat Dilys am goffi a sgwrs. '

Llygadau poethion o haul mis Medi yn gwaedu drwy wynebau'r ddwy. Y tad yn tywallt dŵr berwedig i mewn i'r tebot twym a'r ager yn lleithio'i lygaid.

' Wel, diolch byth mai salad sy' gen i i de—neu swper yn wir, ' meddai'r fam gan dwtio'i brat. ' Tyrd at y bwrdd, Alma. '

' 'Does arna'i ddim llawer o archwaeth bwyd, diolch Mam. Mi gefais i ddiwrnod go flinedig, ' meddai, gan edrych ar yr addewidion o liwiau'r haf ar y plât ger ei bron. *Haf* ? Cyllell Alma'n melltennu i mewn i'r betys. Gwaed yn pistyllu allan. Lliwiau'r haf wedi'u llofruddio a lliain y cymundeb mor aflan â hithau.

' Rhaid i mi fynd i gadw rŵan. Mi ydw i'n teimlo braidd yn gwla. '

' Ond Alma ! Be' sy'n bod ? ' Y fam yn beichio crio. ' Na Huw, NA ! NA ! '

Ei chymar bywyd yn ei chofleidio.

' Cyd-ddigwyddiad, Siani fach. Dim ond atgo'—creulon. Duw a faddeuo imi. '

' Ond *yr union eiriau*, Huw bach. '

' Dyna ddigon rŵan, 'nghariad i. Beth am banad ffres inni ill dau ? Mae'n siŵr bod hwnnw yn y tebot cyn oered ag Afon y Ddrycin erbyn hyn. '

' Mi a' i bipian wrth ddrws Alma'n gyntaf. Rho'r tegell ar y tân eto Huw, os gweli'n dda. '

' Pwt bach o seibiant iddi, Siani—cofia bod Alma wedi bod

yng nghanol pump ar hugain o blantos drwy'r wythnos. Mi wnaiff cwsg colomen ar ôl taith lawer mwy o les iddi. '

Eithr tylluan oedd Alma wrth iddi orwedd yn ei gwely yn ei choban ddi-wyryfol-wen. Sïon gwenyn ; snip-snip siswrn Thelma yn thalidomeiddio perffeithwaith ; drycin yn plicio petalau byw ei hymennydd hithau. Maes chwarae'r plant. Bili'r Bwli'n canu nerth ei geg :

Bastard ydy Ffion
'Does ganddi hi ddim Tad !
Bastard am byth fydd Ffion
Ha ! Ha ! Ha !

' Wyddost ti sut 'roedd pobl yn lladd moch budron fel tithau erstalwm, Bili ? ' gofynnodd Alma iddo cyn ei sgybyrnu i swyddfa'r prifathro. ' Wel, wyddost ti ? Trwy sleisio'r wythïen fwyaf yn eu gyddfau nhw gyda chyllell-ladd, finiog ei thafod, a byddai gwraig yn sefyll yn ymyl y moch gyda bwced a llwy bren fawr i gymysgu'r gwaed er mwyn cael pwdin gwaed i frecwast, a chyn bo hir mi fyddi dithau'n gweiddi mwrdwr fel y moch 'na. '

Ei gwaed yn corddi drwy'i gwythiennau wrth iddi lusgo Bili i mewn i'r swyddfa. Edrych drwy'r ffenest a gweld Ffion, y groten aflan, yn ei rubanau gwynion, yn lolian ac yn chwerthin trwy pob eiliad euraid ei bywyd bach.

Eithr fe fydd d'esgidiau bach di'n gwasgu, a'th wenau'n wermod hyd yn oed cyn iti ddod i'm dosbarth innau. Gwyn dy fywyd tylwyth tegaidd, cyn y crio Ffion fach.

Si-lwli hypnotig yn tywys Alma i Wlad Angof. Dyfroedd sain telynaidd Afon Wen a su'r gwenyn yn canu isalaw grwndi. Y ddau ohonynt yn stelcian ar hyd Lôn y Gwyddfid. Myrraidd oriau yn Llecyn y Cariadon, a gwewyr yn y gweiriau ingol. Trueni fyrred tymor y bysedd chwantus ! Larwm tawel storm o eira yn ei dihuno o'i heneidgwsg. Gwylied y cnu'n cnocian gerfydd ei ffenestr. Cryndod dail yr hydref yn ei meddiannu. Distawrwydd tŷ corff yn diasbedain yn ei phen yn union fel pe bai nodwydd rydlyd yn treiddio i mewn i wialen baban.

'O Bryn ! Pam ? '

Mali'n galar-gerdded adref ar ôl dweud wrtho. Yr afon wedi rhewi cyn galeted â'i galon gallestr ef. Pob hudduglyn o eira'n colio'i chnawd. Tân celyn yn ei phen a'r bwledi gwaed yn marw gyda phob ergyd gecrus a saethai ati. Tic, tic, tic, tic, —curiad gwaed ei baban byw yng ngwfl y groth eisoes yn ing yn ei gwythiennau. Gwythiennau Mali ar fin esgor yn bwll o waed y noson honno. Ei thad yn ddigon gwyn ei fyd gyda'i getyn a'i 'Ddetholiad', a Mali'n helpu'i mam i dorri darnau o hen gôt i wneud mat carpiau. Llais tawelach na'r tên tôst yn mentro yngan y gyfrinach wrth ei cheraint.

'Yr hen ast ! Yn dod â chywilydd i deulu parchus . . . plentyn siawns . . . plentyn llwyn a pherth . . . Pwy ddiawl ydy'r sgogmag wnaeth hyn i f'unig ferch ? Pwy ? *PWY* ? Mi fydd o gan milltir oddi yma cyn toriad gwawr . . . fy merch fy hun—MALI . . . y butain fudr . . . pe medrwn i, mi lusgwn y babŵn hyll allan o'th groth y munud yma . . . '

Tawelwch ysgytiol lleiandy yn llenwi'r gegin. Dicter gwaed coch cyfan yn treiddio i mewn i graidd y teulu, a'r ceulad yn bwrw'i gowdel.

'Rhaid i mi fynd i gadw rŵan. Mi ydw i'n teimlo braidd yn gwla.'

'Ond Mali . . . ' Y fam yn beichio crio.

'Dyna *ddigon* Siani. Mae'r ast fechan wirion wedi cael ei dandlo fel doli glwt hen ddigon gan ryw gythraul.'

'Sut y medri di fod mor galed gyda dy ferch dy hunan ? '

'Hy ! Anrheg ben-blwydd fythgofiadwy iti erbyn fory, yntê ? '

Sisyrnu clytiau purwyn llieiniau bwrdd a thuddedau. Dŵr sgaldedig. Cynfas wedi hydrefu i guddio'r gwarth diniwed a fynnai ddod i'r byd. Mam Mali'n gwenoli o'r naill ystafell i'r

llall a'i llygaid yn boethion wrth glywed sgrechiadau erchyll ei merch.

' Siân Robaits, ewch allan i udo ar y lleuad yn hytrach na'ch bod yn tarfu arnon ni byth a beunydd,' meddai'r fydwraig. ' Brysiwch, y chi a'ch hances lês. '

' Brenin y bratia ', dyna ddigon o sŵn ! Ai bwrw llo wyt ti dywed ? Rŵan ta, gwthia. GWTHIA fwy 'wnei di, yr hen ast ? ' meddai Sistar Morus wrth Mali gan ymbalfalu gyda dwylo rhawiau yng ngwain hen gariad Bryn, fel pe bai'n cymysgu bwyd moch.

' AAH ! NA ! PLÎS ! '

' Dyna wers go dda iti *Miss* am achosi'r holl strim-stram-stremach 'ma i foddio chwiwyn o chwant. '

Plentyn siawns . . . bastard . . . plentyn llwyn a pher- . . .

' AAH ! NA ! MAM ! MAM ! '

' Gwthia nes y daw dy berfedd allan ohonot ti. Un hwth arall . . . dyna ni . . . merch. ' Celpan ar ei thin oedd ei chroeso i'r byd. Ei chri yn si-lwli i Mali wrth iddi ddal y gwarth hardd yn ei breichiau.

' Fy nghariad, tydi fydd amdo eirlysiaidd dy fami, Alma fach. '

' Alma ! ' Ochenaid bywyd o ryddhad wrth i Siani glywed adlais byw yn atgyfodi o berfeddion ei nos. ' O ! Alma ! mi wyt ti'n edrych yn ganmil gwell y bore 'ma. Yli, mi ydw i wedi nôl brecwast iti yn dy wely fel trêt bach. '

' Trêt bach i mi ar eich pen-blwydd chithau ? '

' Wel, pam lai ? ' meddai, gan gyflwyno'r hambwrdd yn dyner ym mreichiau disgwylgar Alma. ' O ! Alma ! Gwyn dy fyd ! ' Rhedodd Siani at sil y ffenestr lle siglai cynfas wan, wen, o eirlysiau sidan yn si-lwli'r awel. ' Ac mi wyt ti wedi'u gosod ar hambwrdd arian ! Maen' nhw fel gŵn bedydd merch fach burwen, a'r ffriliau ewyn a'r rubanau yn clymu'r cariad am byth. Fy eirlysiau bytholwyn—purach ganmil na holl

rosod perffeithia'r byd. Rhaid imi'u dangos nhw i dy daid ! Mi fydd yntau wrth ei fodd hefyd. '

Llifai'r gwaed fel rhaeadr gwyllt trwy wythiennau Alma. Llusgo'r llestr a brynodd ddoe allan o'i bag-marcio. Eryru'r papur gloyw a'r amdo o bapur sidan. Llestr gwyn ar ffurf calon i ddal blodau'r meirw ac un gri o eigion enaid baban yn goreuo'r ' gwarth ' :

' MAMI '

AR DDYLETSWYDD ?

Am y tro cyntaf erioed clywodd Sistar Ann Philips ei horiawr yn tician, tician, mor ysgafn â chalon claf ar farw. Eistedd ar ymyl ei chadair gan droelli'i beiro arian yn ei llaw chwith. Tusw bach o saffrwn yn gweddïo ar ei desg. Ni chollodd gymaint o chwys erioed—hyd yn oed wrth geisio 'sgwennu fesul sill yn ei harholiadau terfynol. Rhedeg i'w llofft yn sicr ei bod wedi methu, a sylluar y gwregys a'r bwcl gwawdlyd yr oedd Dafydd eisoes wedi'i brynu iddi hi. Mor flinedig â phe bai wedi cyweirio cant o welyau ar ei phen ei hun.

Bron â sgipio drwy'r wardiau pan ddatgelwyd y canlyniadau, a hithau ar y brig ! Nyrs Staff ! Gem o nyrs, eithr ar gadwyn euraid o dan ei ffroc las olau, disgleiriai clwstwr o ruddemau ac un diemwnt yn eu canol a oedd yn bwysicach na hyd yn oed y wefr a brofodd pan ddewiswyd hi'n Sistar Nos—yr ieuengaf yn yr ysbyty.

Fel arfer, chwinciai'r nos heibio i Sistar Philips mor gyflym â phe bai wedi chwistrellu anesthetig i mewn i un o'i gwythiennau ei hun—cyffuriau, pigiadau, tabledi siwgr, newydd-ddyfodiaid, cysuro, llenwi ffurflenni, cadw llygaid ar y nyrs fechan a oedd yn dylluan am y tro cyntaf.

' Sistar, mae rhywun yn y ward yn galw am nyrs,' meddai Nyrs Jones, gan geisio atal dylyfu-gên.

' Wel, be' ydach chi,—mwnci yn y jyngl ? Ewch ati ar unwaith ac yna dewch yn ôl ataf fi.'

'Rwyt ti wedi blino, Ann. Yr holl boen meddwl sy' gennyt ti. Rhaid iti gael seibiant am 'chydig wythnosau. Fel arfer, fe fyddi di'n helpu nyrsys newydd, nid rhwygo'r rhyfeddod allan o'u swydd.

Nyrs Jones yn sefyll yn swil wrth ddrws y Sistar.

‘ Dewch i mewn, Nyrs.’

‘ Diolch, Sistar,’ meddai gan roi’i dwylo y tu ôl i’w chefn fel y dysgwyd hi i wneud pan siaradai Nyrs Staff neu Sistar â hi.

‘ Peidiwch â rhoi’ch breich—Mae’n ddrwg gen i. Ond am funud dychmygais . . .’ Sychu’r chwys rhewllyd oddi ar ei thalcen.

‘ Ydych chi’n iawn, Sistar ? Mi ydych chi’n edrych yn welw iawn.’

‘ Na, mi ydw i’n iawn, diolch. Pwy . . . pwy oedd yn galw yn y ward gynnau ?’

‘ Merch ifanc yn y trydydd gwely ar y dde. ’Roedd arni hi isio diod o ddŵr, ond ’doedd hi ddim yn gallu ei gyrraedd . . .’

‘ Nyrs Jones—*POBL* sy’ yn fy ward i. Pobl gydag enwau. A theimladau. Ac ymennydd. Mi roddais i restr i chi er mwyn i chi ddysgu’u henwau nhw. Cleifion ydyn nhw nid *daleks* ! Ewch o ’ngolwg i a dysgwch y rhestr.’

O Dduw ! *Be’ sy’n digwydd imi* ?

Deigryn fel diemwnt yn disgyn ar ddarn o wadin. O’r diwedd y deigrlif yn torri—crio cariad ar hancesi papur gwyn —napcyn gwyn ar ffroc sidan binc a’i thresi golau yn lolian o amgylch y bodis. Cinio i’r ddau yng ‘ Ngwesty’r Eirlysiau ’. Mynd am dro y tu hwnt i Wlad Hud a Lledrith a lawntiau o eirlysiau diemwnt yn llonni calonnau y Meddyg a’r Sistar a gerddai law yn llaw. Er byrred eu tymor, cofiai Ann yr eirlysiau am byth.

‘ Dim ond *un* eirlys sydd yn hon, Ann—ond mae tusw o rosod cochion hefyd,’ meddai Dafydd, gan chwerthin, tra syllai Ann ar y fodrwy ddyweddïo, gan feddwl bod nam ar ei llygaid. ‘ Mae’n ddrwg gen i, ’nghariad i, ond mi fethais yn lân â chael rhosod gyda drain arnynt. Ond gobeithio y derbyni di hi’r un fath, ’meddai, gan wenu wrth ei dodi ar ei bys.

Dau mewn cariad mwy purwyn nag eirlysiau'r gwanwyn twyllodrus.

' Rhosod cochion ac eirlysiau—fy hoff flodau—'wnaiff y rhain byth farw, Dafydd. 'Fydd 'na byth ddrain—nid ar y fodrwy hon.'

Tynnu'r gadwyn oddi am ei gwddf a syllu ar y fodrwy'n gwaedu yng ngolau pŵl ei swyddfa. Sawl gwaith yr oedd hi wedi dodi rhwymynnau am gleifion i atal gwaedlif ? Eithr amhosibl, trwy ddagrau ffwrneisboeth, oedd atal gwaedlif cariad. Y rhuddemau'n ymgymysgu â'r un diemwnt . . . ' gobeithio y derbyni di hi'r un fath . . .' Llais Dafydd yn ei byddaru yn ei swyddfa ddi-stŵr. A oedd hithau, Ann Philips, am fod yn Jiwdas ? Y gusan a roddodd iddo neithiwr cyn iddi ddod ar ddyletswydd, ac yntau'n gorwedd yn thalidomaidd ar ôl cael sleisio'i goesau ymaith. Esgyll o freichiau. Damwain mewn car yn chwyldroi ei . . . eu bywydau. A allai hi briodi pysgodyn o ddyn ? Cerdded law yn llaw . . .

Diolch byth ei bod yn noson dawel—yn y ward. Meddwl am ysgrifennu llythyr ato—efallai y byddai hynny'n garedicach yn y pen draw. Sylweddoli'n sydyn y byddai'r dwylo a fu'n ei chofleidio—y dwylo a fu'n dal cyllell llawfeddyg, bellach yn lludw mewn ffwrnais.

Y tu allan, y wawr wedi torri—hanner awr wedi saith y bore, a'i llygaid fel y machlud. Hanner awr arall cyn mynd i dywys Dafydd i fwyta brecwast robin goch—heb hyd yn oed binnau o goesau. Hithau a ofalai amdano hyd bedwar o'r gloch y prynhawn. Yna, byddai'n dwyn dwy awr o gwsg cyn wynebu dagrau a geiriau scalpelaidd noswaith arall.

Cnoc ar y drws.

' Dewch i mewn.'

' Esgusodwch fi, Sistar,' meddai Nyrs Jones yn ofnus, ond 'rwy'n meddwl ei bod yn amser i Mrs. Watcyn gael ei chwistrelliad.'

‘ Bobol bach, ydi ! Diolch i chi, Nyrs Jones. ’Roeddwn i wedi anghof . . .’

Gwaedu at fôn ei chlustiau wrth sylweddoli bod cyw o Nyrs wedi gorfod atgoffa un a fu’n nyrsio ers wyth mlynedd. ‘ Ewch i dynnu’r llenni a’i pharatoi, os gwelwch yn dda, Nyrs.’

Chwarter awr yn hwyr . . . lle mae’r daflen gyffuriau . . . P.R.T. W—WATCYN . . . dyma ni . . . 250 *mg . . . yr allweddau i’r cwpwrdd—O ! lle maen’ nhw ? Rhaid iddi gael chwistrelliad ymhen deng munud . . . lle ddiawl ? O ! dyma nhw.*

Llenwi’r chwistrell. Darn o wadin. 250 mg . . . 250 mg. Syllu ar y daflen gyffuriau unwaith eto. WATCYN, Jane, 25 mg.

‘ O ! Na ! Mi fuaswn i wedi’i lladd hi.’

Crio, a’i phen ar y ddesg pan ddaeth Del, y Sistar Ddyddiol, i mewn yn fuan.

‘ Ann, be’ sy’n bod ?’

‘ O Del, diolch iti am ddŵad i mewn yn gynnar eto. ‘ Wnei di roi’r chwistrelliad yma i Mrs. Watcyn ? Mi anghofiais i . . .’

‘ Paid â phoeni. Mae pawb yn gwneud camgymeriadau . . .’

‘ Dyna ni. Mae Mrs. Watcyn yn iawn rŵan. Dos i lolfa’r Chwiorydd i orffwyso ’chydig bach. Mae hi’n dawel braf yno.’

‘ Mae tawelwch wedi bod yn fy nwrdio drwy’r nos. Peth amheuthun ydi cael siarad gyda hen ffrindiau. Del, be’ *wna’* i ? Mi ydw i’n caru Dafydd—ond och ! wn i ddim !’

‘ Mae’n rhy fuan iti benderfynu rŵan, wyddost ti. Mi ’rwyt ti wedi cael d’ysgwyd fel dwster ar ôl llnau tŷ Hilda Ogden. Rho ddigon o amser i ti dy hun.’

‘ Na, fedra’ i ddim. Mi fyddai hynny’n beth creulon i’w wneud i Dafydd. Mi fydd yn rhaid imi ddweud wrtho fo *heddiw*—y naill ffordd neu’r llall. Mae arno fo f’angen innau rŵan yn fwy nag erioed. Ydw i am droi 'nghefn arno—a'i adael i bydru'n gorfforol ac yn feddyliol mewn Cartref i'r Methedig am oddeutu hanner can' mlynedd ? Sut medra' i weini ar ddieithriaid yn yr ysbyty yma gan . . . gan wybod . . .'

' 'Rwy'n deall, Ann fach. Ond os wyt ti *am* ei briodi, paid â gwneud hynny o ddyletswydd nac o dosturi tuag ato. Mae einioes yn amser hir cofia . . .'

Y ffôn yn canu.

' Mae'r Metron isio dy weld ti am 'chydig o funudau.'

' O, NA ! Ac 'mae hi'n bum munud i wyth rŵan.'

Rhuthro allan o'r Swyddfa gan anghofio'r holl reolau. Rhedeg ar hyd y coridor. Ddim yn newid ei chap cyn gweld Metron. Y lifft mor araf â phe bai'n codi tunnell o lo.

Pum munud wedi wyth. Mi fydd Metron yn ceisio fy nghymell unwaith eto i gymryd ' seibiant bach ', ' gwyliau bach ', ' i fynd adref am ychydig wythnosau '. Oddeutu chwarter awr yn ei swyddfa—mi fydd hi bron yn hanner awr wedi wyth. Rhaid imi ddweud wrthi 'mod i ar frys . . . ni fyddai hi byth yn maddau imi, ac arna finnau isio gweithio o dan ei hadain. Ond a fydda' i'n ymddiswyddo a phriodi Dafydd yn y man ? Bywyd o warchod baban na fydd byth yn tyfu . . . rhosod a drain. Ni . . .o dyma ni.

Wrth gnocio ar ddrws y Metron, swydd y gallai hi'i chael cyn hawsed ag ysgrifennu'i hen— un diwrnod, chwalwyd ei hamheuon fel gwaedlif diatal yn pistyllu dros ei ffedog eirlysiaidd.

' Dewch i mewn. Helo, Sistar Philips. Eisteddwch i lawr am funud, wnewch chi. Sistar Philips, 'does dim angen imi ddweud wrthych eich bod yn un o'r nyrsys gorau yn yr ysbyty. Mae gennych chi ddyfodol hynod o ddisglair . . .'

Mor ddisglair â diemwnt.

Metron yn dal i fwrw drwyddi, ond erbyn hyn, tybiai Ann ei bod yn gwybod yr araith ar ei chof.

‘ Ann fach, glywsoch chi be’ ddwedes i ?’

‘ O, mae’n ddrwg gen i, Metron.’

‘ Ei air olaf un ydoedd “Ann”.’

‘ P . . . pryd ?’ sibrydai, mor dawel â’r awel leddf ar y noswaith honno o wynder gwanwyn.

‘ Am ugain munud wedi pump y bore ’ma. Mi ffoniodd Sistar Rees i’m hysbysu.’

Diemwnt—muchudd,
a’r rhuddemau’n goflaid o geulad.

‘ Ugain munud wedi pump, ac mi oeddwn innau ar ddyletswydd,’ meddai Ann, gan syllu ar y drain ar y rhosod cochion ar ddesg Metron.

SFORZANDO

‘ ’Rwy’n dlawd . . . ’rwy’n frwnt . . . ’rwy’n euog . . . ’rwy’n *euog*.’

‘ ’Dwyt ti ddim yn euog, Angharad. Fe brofwyd hynny mewn Llys Barn. Dynladdiad ydoedd, nid llofruddiaeth. Dos i gysgu’n dawel rŵan,’ sibrydai’r meddyg wrthi gan chwistrellu hylif o esmwythâd i mewn i’w braich fynor.

‘ A’r babi ?’

‘ Trwy drugaredd mae o yng Nghrud yr Engyl, Angharad.’

‘ “Cysga, berl dy fam”. Fedra’ i byth ganu eto . . . ’roedd Raymond yn fy ngwahardd rhag canu, wyddoch chi, Doctor Huws. Pam ’roedd o mor ellyllaidd wrthyf ?’ gofynnodd a’i dagrau’n llifo.

‘ Paid ag aflonyddu, cariad. Cofia mai edau deneuach na gwe pry’ copyn sydd rhwng athrylith a gwallgofddyn weithiau.’

Pry’ cop . . . pry’ corff . . . pry’ cop . . . pry ’ corff . . . tic toc . . . tic toc . . . tic . . . Ei llygaid yn drymach na’i gofid, a’r cyffur yn peri iddi hithau, Angharad Wyn-Stuart, anghofio am Raymond.

Eithr cleisiau a edrydd y stori . . . mis mêl ym Milan.

‘ Angharad, ’rwy’n dy garu’n fwy na . . . ’Ei chusanu cyn gorfod gorffen ei frawddeg.

‘ O ! Raymond, fy nghariad i. Tyrd yn nes ataf. Mi ydw i wedi prynu ffroc arbennig o hardd ar gyfer dy gyngerdd heno.’ Ffrilen o chwerthin.

‘ Angharad Wyn—o bawb—yn Angharad Wyn-Stuart—gwraig y pianydd byd-enwog, Raymond Stuart.’

‘ Rhaid imi fynd rŵan, wyddost. Ymarfer drwy’r dydd gyda’r gerddorfa. Fe’th welaf yn y wledd ar ôl y perfformiad.’

‘ Fy ngadael *rŵan* ?’

‘ Fel y dwedaist, mi ’rwyt ti wedi priodi pianydd byd-enwog, ac y mae’n hen bryd iti dderbyn y ffaith bwysig honno,’ meddai, â gwylltineb yn ei lygaid tywyll.

Angharad yn cyrraedd y cyngerdd. Raymond wedi gosod tusw o rosod pinc ar ei rhaglen felfed.

‘ *To my dearest Anne. With love. R.*’

Ceisio’i gorau glas i wrando ar y pianydd. Cerddoriaeth sidanaidd cyn tymestl, a’r mellt yn gwanu’i henaid. Dwy osgordd yn ei harwain i’r wledd fawreddog. Pob math o ddanteithion i godi archwaeth ar ddyn. Ei gwthio’i hun drwy’r dorf at Raymond.

‘ A superb performance, Raymondo ! Superb ! ’meddai’r arweinydd, gan sboncian yma ac acw fel sioncyn y gwair a chusanu’r merched i gyd.

‘ Ah ! Champagne !’

Angharad fel ffeuen yng nghanol gardd o rosod. Doli glwt yn dyheu am gael ei chyflwyno i unrhyw un.

Diwedd y daith. Cyrraedd ‘ adref’—Ynys Afallon. Plas ym mherfeddion gwlad y gân.

‘ Wel, wyt ti’n hoffi d’anrheg briodas ?’

‘ Wrth gwrs . . . mae’n hardd iawn,’ meddai, a’i thraed yn suddo i mewn i’r carped ffwr gwyn fel pe bai sugndraeth yn ei meddiannu.

Mae gen i dipyn o dŷ bach twt
O dŷ bach twt, o dŷ bach twt . . .

‘ Be ’ sy’n bod arnat ti ? Mi ’rwyt ti’n . . .’

‘ ’Does dim byd, Raymond. Dim byd o gwbl. Lle mae’r ’stafell ymolchi ? Mi garwn i ’sgybyrnu’r llwch oddi arna’i cyn mynd i gadw.’

Llygaid ei gŵr yn gwewyru, a’i waed yn ffrwtian mewn crochan o gorff. *Rigor mortis* rhwng amdoeau o gynfasau sidan. Fel adar Rhiannon gynt, peroriaeth yn atgyfodi Angharad. Sylweddoli mai Raymond oedd yn canu'r piano :

> O fel mae'n dda gen' i 'nghartref,
> Hen le bendigedig yw cartref,
> Chwiliwch y byd, drwyddo i gyd,
> 'Does unman yn debyg i gartref.

Newid cywair. Â dawn Paganini ar ei ffidil, llid ei enaid yn cynddeiriogi. Enaid pwy? Pa gyfansoddwr a allai greu'r fath arswyd ? Ing enaid—enaid creulon. Mellten olaf y storm yn peri i Angharad neidio allan o'i gwely.

Raymond yn rhuthro i mewn i'r llofft. Ei tharo ar draws ei hwyneb.

' Fy sarhau o flaen cerddorion mwyaf Ewrop. Minnau'n prynu plas iti a thithau'n codi dy drwyn arno—lle ddiawl oeddet ti'n disgwyl inni ddechrau byw—ar fferm fel dy hen gartref ? Ond efallai y byddai hynny'n well gennyt, yr hen hwch—bwyta tatws-llaeth a soegen allan o gafn. Dyna dy le di—yng nghanol y ' carthion ' —a defnyddio gair neis.'

Dagrau'n cronni yn llygaid gleision Angharad.

' Paid â beiddio crio, neu mi *gei* di achos i wylo 'rwy'n addo hynny iti, 'mechan i.'

' Raymond, paid â bod yn flin wrthyf. Ond mae'r byd hwn mor newydd imi—y cyngherddau, y siampên, y gwleddoedd, y merched a'r dilladau heirdd . . .'

' Gan ein bod ni'n sôn am ddilladau, mi 'roeddet ti'n edrych fel sipsi yn dy ffrogiau hen ffasiwn ar y daith. Lle ddiawl oeddet ti'n meddwl dy fod ti—mewn Cymanfa Ganu ?'

' O'r gorau, Raymond, 'rwy'n cyfaddef bod gen' i lawer i'w ddysgu, ond fe fyddai wedi bod yn braf cael cyfle i gynllunio'r tŷ—y plas 'ma gyda'n gilydd.'

' Hy ! A'i wneud yn debyg i ffermdy. Setl, a mat carpiau ar y llawr ! Cwrens defaid fel cwafers yn y buarth a'm gwraig yn gwisgo ffedog fras ! O ! Dyna braf ! Gwartheg yn brefu yn y cae—ond mi wna' innau iti frefu rŵan, Angharad Wyn-Stuart.'

Ei gynddaredd yn trywanu drwy'i chorff. Ei thresi euraidd yn ddryswch ar hyd y gobennydd, a'i dagrau'n nodau gwawd i'w gŵr.

' O f'Angharad ! A wnes i dy frifo ? Wel naddo, siŵr iawn. Tamaid bach i aros pryd oedd hwnna, f'anwylyd. Un gusan fach neis cyn mynd i wlad y breuddwydion. Meddylia am yr holl droeon y byddwn ni'n rhannu gwely—"hyd angau a'r bedd". Dim ond y ddau ohonom yn Ynys Afallon—yn byw mor hapus â'r gog. Sycha dy ddagrau arianaidd,' meddai, gan roi plwc i'w gwallt hir.

Cwsg, fy rhosyn i.

Cân yr adar yn ei deffro. Cofio am wely drain neithiwr. Clywed bysedd ei gŵr yn llifo dros Ail Arabesque Debussy mor dyner â phetalau rhosyn.

Mae'n rhaid bod fy ngwybodaeth gerddorol yn gwella. Gwybod enw'r gân ! Mi fydd Raymond yn falch ohonof—am unwaith.

Gŵn-wisg sidan wen yn llithro amdani. Cribo'i gwallt gan ei daenu'n donnog dros ymylon ei gŵn. Cymryd gofal mam yn paratoi llaeth i'w baban wrth ferwi coffi i Raymond. Tywallt hufen ffres i mewn i jwg arian. Coffi du. Hufen gwyn. Ymlithro mor esmwyth ag alarch i mewn i'r Ystafell Gerddoriaeth. Y piano'n parhau i swyno Raymond a'i fysedd yn prin gyffwrdd â'r nodau, fel pe baent oll yn wahanglwyfus. Ni fentrodd Angharad yngan gair wrth ei gŵr nes iddo ddychwelyd o'i wlad hudolus.

' Wel, fy nrudwen fach ddel. Mae'n rhaid imi gyfaddef dy fod ti'n edrych yn ddeniadol dros ben heddiw. Efallai bod triniaeth neithiwr wedi gwneud lles iti.'

Angharad yn cochi hyd at fôn ei chlustiau wrth iddo'i gwasgu'n dyner a'i chusanu.

' Dyma 'banad o goffi iti. Gobeithio'i fod o'n iawn.'

' Gobeithio'n wir. Mm. Perffaith. Yr un fath â thithau.'

' 'Dydw i ddim wedi gweld yr ŵn-wisg 'na amdanat o'r blaen. Rhywiol iawn. Mi wyt ti'n dysgu, f'Angharad. Braidd yn araf, yn sicr, ond mi *ddoi.*'

' Carlotta van Rhywbeth-neu'i-gilydd a'i hanfonodd imi. Mi ddwedodd y byddit ti'n sicr o'i hoffi.'

Wyneb Raymond yn fflamgoch.

' Carlotta van *rhywbeth-neu'i-gilydd*—'dwyt ti ddim yn gwybod enw *prima donna* orau'r byd, yr hen frân gennyt?' Taflu'r coffi du at Angharad. Hithau'n gweiddi wrth i'r hylif sgaldio'i chorff. Rhedeg i'w llofft gan sgrechian, a thaenu hufen ar y corff a gerid gan rywun, unwaith. Ond na, 'doedd Robin ddim yn ddigon da iddi hi—yr adeg honno.

Y drws yn agor.

' Ha ! Wyddost ti ddim bod gen i allweddau i bob twll a chornel yn Ynys Afallon, na wyddost ? Wel, dyma nhw,' meddai, gan laswenu arni a'u rhincian fel dannedd hen wreigan o flaen ei llygaid.

' O ! Raymond, mi 'rydw i'n ceisio gwneud fy ngorau glas i dy foddhau, ond troi'r drol 'rydw i o hyd.'

' Yn hollol,' meddai, gan ei gadael ar ei phen ei hun, a mynd i'r Ystafell Gerddoriaeth.

Diosg ei gŵn-wisg. Nid oedd ganddi glem sut i olchi staen coffi du oddi ar sidan gwyn.

' Raymond, ga'i fynd i'r dre' i brynu gŵn-wisg newydd, os gweli'n dda ?' meddai, wrth fentro i mewn i'r ystafell.

' 'Rarglwydd Mawr,' meddai, ac yntau ar ganol ymarfer consierto, ' mi wyt ti fel mêl ar fysedd pianydd, on'd wyt? Pythefnos gron sydd gen i tan y perfformiad cyntaf, a dyma Meiledi'n ymdeithio i mewn fel pe bawn yn mynd i ganu harmoniwm mewn capel. A *na* chei, chei di ddim croesi'r rhiniog, heb sôn am fynd i'r dre' i wagsymera.'

' 'Roedd Nain yn arfer dweud fel 'roedd hi'n rhoi dotiau bach o fêl ar fysedd Mam pan oedd hi'n faban er mwyn ei chadw'n ddiddig,' ymsoniai Angharad, a'i llygaid a'i chalon ymhell o Ynys Afallon.

'Wyt ti'n fy nghlywed ? Dos i gythraul cyn iti fy nghorddi'n fwy.'

Pythefnos o ymarfer—o'r boreau hirion tan berfeddion nos, ac Angharad yn garcharor mewn plas. Dau o'r gloch y bore, a Raymond fel cnocell-y-coed yn taro'r un nodyn am oriau. Ei wraig yn gwasgu'i chlustiau fel pe bai ganddi bigyn ynddynt.

Diwrnod arall ac fe fyddaf yn rhydd o'i grafangau.
Gwneud yn hollol fel y mynnaf.
Mynd i'r mannau 'rwy'n eu caru.

'Un gair bach cyn canu'n iach, f'Angharad. Cofia nad wyt ti i grawcian "canu" mewn cyngerdd, noson lawen, te pensiynwyr, nac yn unman arall. "Angharad Wyn—Eos Pen-y-Bryn". Am enw ! Angharad Wyn-*Stuart* ydi d'enw'n awr—nid Angharad Wyn.'

Cilwenu. Clep ar y drws. Sain peraidd y 'Rolls Royce' yn falm ar friwiau.

Tri mis cyfan heb Raymond ! *Angharad Wyn*, *'rwyt ti wedi dy ryddhau o'th gyffion* !

Canu nerth esgyrn ei phen.

Dacw nghariad i lawr yn y berllan . . .

Rhedeg allan yn rhydd i'r gerddi. Gwylltineb. Danadl poethion yn colio'i choesau noethion. Drain yn rhwygo'i sgert ddu. Dafnau o waed ar ei chorff.

Mieri lle bu mawredd.

Eiddew yn ymgripian fel neidr at ffenestr fudr ei llofft. Ias oer yn gogleisio drwyddi wrth iddi feddwl am y pryfetach a oedd wedi dewis ymgartrefu yno. Aceri o feysydd gweigion. Tŷ di-dân ; bedd di-gorffyn ; bondo di-wennol ; gwraig ddi-blentyn ; llyn o fwsogl yng nghanol y drysni. Cofio am ddyfroedd pur Llyn y Garth, Coed y Garth Maes y Meillion, Pen-y-bryn—Robin.

Rhedeg yn ôl i'r plas yn groen gŵydd drosti. Eistedd ar y mat gwyn o flaen y tân gwaetgoch. Dau liw mor wahanol—fel nodau piano. Mis. Deufis. Cerdded am filltiroedd o Ynys Afallon. Clywed sŵn fel baban yn crio'n rhywle. Oen bach swci yn y drain a'r drysni.

' O ! fy nghariad bach i ! Ac mi 'rwyt tithau wedi crwydro hefyd. Tyrd gydag Angharad . Dyna ti.'

Bwydo, a dotio ar Iolo, y crwydryn bach diniwed. Yfed llaeth o botel a'i gynffon yn ysgwyd wrth iddi roi moethau iddo. Mis. Deufis. Deufis a hanner . . .

Twrw wrth i ddrws y plas agor.

' Cysga di yn y lolfa'n gynnes wrth y tân, Iolo bach.' Angharad yn brysio i mewn i'r ystafell. Raymond yn sefyll wrth ei biano a hugan ddu yn hongian amdano.

Gwenci a chwningen.

' Mi 'rwyt ti wedi pesgi'n o arw mewn tri mis. Mae dy fol a dy fronnau'n edrych fel pe baent yn mynd i fostio fel balŵns allan o'r ffrog erchyll 'na.'

' 'Doeddwn i ddim yn gwybod pryd i dy ddisgwyl yn ôl i Ynys Afallon, neu mi fyddwn i wedi newid fy ffrog, a gwisgo un fwy.'

' Newid dy ffrog a gwisgo un fwy ?' meddai'n wawdlyd. ' Yli, 'ngeneth i, 'dydy fy mhriod i ddim am fod yn globen. Wyt ti'n fy neall ? Bronnau llawnion yn deganau imi—iawn—ond dim bol. Chei di ddim bwyd nes imi dy gael di'n weddol lluniaidd eto. Dim bwyd o gwbl. Rŵan, dos i baratoi cinio imi. Mi ydw i'n wancus iawn heno.'

'Raymond—mae gen i newydd iti—mi 'rydw i'n feichiog.' Taflu'i hugan ddu oddi amdano. Gwasgu'i ddwylo fel y gwnâi cyn ymarfer consierto.

' Diosg dy ddillad. Pob cerpyn.'

‘ Paid â siarad mor wirion, Raymond.’

‘ Stripia.’

Hithau’n gwybod mai rhaid oedd ufuddhau i’w gŵr.

‘ Brysia, yr hen fuwch wasod—cyn imi orfod dy helpu.’

Sefyll yn noethlymun o’i flaen gan grymu’i phen i geisio cuddio’i dagrau.

‘ Y bwbach foliog,’ meddai, gan ei phwnio yn ei bol nes oedd Angharad yn griddfan yn ei dyblau.

‘ Pwy ydi’r tad ?’

‘ ’Dydw i—erioed—paid Raymond, plîs—wedi bod yn anffyddlon iti.’

Yntau’n ei llusgo gerfydd ei gwallt ar y soffa. Manglo’i bronnau gyda’i ddwylo. Eu gwasgu fel pobydd yn tylino dwy dorth ar unwaith.

‘ Am y tro ola’ ’nghariad i, *pwy ydi’r tad* ?’

Ceisio’i ateb. Methu anadlu.

‘ Seibiant bach iti, pwt,’ meddai’n watwarus gan gynnau sigâr.

Chwythu’r mwg i’w hwyneb.

‘ Ti—ydi’r—ydi’r tad. ’Rwy’n feichiog ers-pedwar-mis.

‘ Cyfleus iawn, yn wir.’

Gwasgu tân y sigâr ar ei thethi. Angharad yn gweiddi nerth ei phen.

‘ Raymond—mi leddi di—dy—fabi.’

‘ O, na wna’. Mi wn am ddigon o grach-feddygon a fydd yn fwy na bodlon i roi erthyliad iti. Be’ oedd y sŵn ’na ?’

Angharad yn rhy ddiymadferth i’w ateb. Raymond yn rhedeg i lawr y grisiau ac yn dychwelyd gan gario Iolo bach gerfydd ei goesau i mewn i’r ystafell. Ei daflu at ei wraig. Bref ofnus y peth bach yn waeth na phoen Angharad.

‘ Ai dyma d’epil di ? Saif i ganu ’chydig o hwiangerddi i’r bychan del. Dal ef yn dy gôl fel mam go iawn, f’Angharad. Wyt ti’n barod ?’

Iolo'n ysgwyd ei gynffon wrth weld Angharad.

> Siglo, siglo, crud bach fy Iolo,
> Siglo, siglo,
> Un, dau, tri . . .
>
> Myfi sy'n magu'r baban,
> Myfi sy'n . . .

' Raymond, mae'n rhaid dy fod ti'n wallgo' i wneud hyn.'

' Un hwiangerdd fach arall cyn iddo fynd i gysgu. "Siglo, siglo, . . ." heb biano y tro hwn. Yli arno'n edrych ar ei fami. Mi fydda' i'n ôl ymhen munud.'

' O ! Iolo bach ! 'Rwy'n dy garu !'

Raymond yn dychwelyd gyda chortyn.

' Be' ddiawl . . . ?'

' Wyddost ti ddim fod fy nhaid yn hen ffermwr ?' meddai, wrth glymu traed Iolo'n dynn. Yr oen swci yn brefu a brefu.

' Fyddi di ddim yn brefu am blwc hir iawn eto'r hen fwystfil. Trueni nad oes tresl yma hefyd imi gael gwneud y gwaith yn broffesiynol.'

' Raymond ! Be' wyt ti'n geisio'i wneud ?'

' A thithau'n arfer â byw ar fferm ! Y dwpsen ! Ond mi gei di weld y cyfan ymhen chwinciad.'

' Heb dresl, dy freichiau fydd Crud yr Aberth.'

Angharad yn gweiddi wrth weld Raymond yn gwanu cyllell drwy wddf cnydiog Iolo. Ei waed cynnes yn llifo dros ei chorff noeth, a'i gôt ddi-gnaif.

' Y cythraul drwg ! Mae'r "hen ddyn" ynot ti.'

Ymladd â'i gilydd. Angharad, gyda grym Mohammed Ali'n llifo drwy'i chynddaredd, yn dyrnodio'i gŵr. Bwrw gafael ar y gyllell goch a mwynhau'i chlywed yn trywanu drwy'i galon. Yntau'n disgyn fel bwgan ar ystôl felfed ddu'i biano.

Crynu drosti. Yr ystafell yn troelli. *Pianissimo.* Colli'i hymwybyddiaeth. Fwltwriaid yn anrheithio corffyn Raymond. Pigo'i lygaid duon fel crosiets allan o'i ben. Robin goch yn tician fel metronôm yn erbyn y ffenestr. Garddwr Angau wedi plannu pren yw yn y caeau. Llyn y Gwaed yn gorlifo. Ond chwarae teg i'r Hen Arddwr, sicrhaodd bod porfa mor lefn â chariad Angharad tuag ato ar gyfer Iolo.

Angharad yn deffro yn yr ysbyty. Nyrs yn gwenu arni.

'Llyncwch y tabledi yma, cariad. Dyna chi. Mae Doctor Huws wedi dweud bod yn rhaid i chi gael llawer o gysgu er mwyn i chi gael digon o nerth i ganu inni unwaith eto. Nid pawb sy'n meddu ar lais fel Angharad Wyn, wyddoch chi.'

Llyncodd y tabledi cyn mwynhau gorffwyso'i phen ar ei chlustog o gotwm gwyn.

NADOLIG LLAWEN !

Eisteddodd Mair ar y setl gyferbyn â ffenestr cegin 'Noddfa'. Fel arfer, tywynnai tynerwch cryf ar ei hwyneb gan gadw'i dagrau ym mhwll ei chalon. Alff, ei gŵr, wedi mynd ar ei hald i lawr Y Brêc i'r lofa ar gyfer y stem nos.

Pipian wrth ddrysau'r ddwy siambar. Ann yn cysgu'n ddiolchgar o dawel gyda chlytiau gwynion yn ei gwallt hir, eurgoch. Mair yn gwenu wrth gofio am Bob, eu plentyn hynaf, un nos Sadwrn yn tagu chwerthin wrth weld Ann yn ei gwmbas a'r clytiau'n hongian yn ei gwallt.

' Hei ! Annie ! Mi wyt ti'n edrych yn union fel un o wartheg Deio'r Bryn ! Lle mae'r stôl drithroed 'na, Mam, imi gael godro'r fuwch ?' meddai, gan dynnu yn y rholiau fesul un. Ding-dong-ding-dong, ding-dong . . .

' MAM !'

' DING !—DONG !'

' Bob—arhosa di nes daw dy dad o'r gwaith bore 'fory. Mi wyt ti'n gweld *honna*, on'd wyt ?' bygythiodd ei fam gan bwyntio at yr hoelen wyth a sodrwyd i mewn i'r wal i ddal strap gwaith ei dad.

' Wir, Mam, 'dydy hi ddim yn 'y mrifo i rŵan, er 'mod i'n arfer â meddwl bod Dad yn gweiddi "Ffeiar" cyn dechrau arna' i o'r blaen ! ! Ond Mam, plîs peidiwch â deud dim byd—*jyst am unwaith*, 'chos Cris'-croes, Mam, 'doedden ni ddim ond yn chwarae, on'd e, Ann ?'

Winc a nod rybuddiol ar ei chwaer.

' Ie,' ochneidiodd Ann, heb edrych i mewn i lygaid tosturiol Bob.

' Ac mi fydd hi'n ddydd Sul 'fory, a faswn i ddim yn hoffi gorfod aros yn fy siambar drwy'r dydd—yn arbennig wedi imi ddysgu *dwy* adnod. Dysgu dwy rhag ofn imi anghofio'r llall, ac mae Jôns drôn— . . . y pregethwr mawr yno a chwbwl.'

' Am fachgen ! Mi fasat ti'n gwerthu dy nain am ffyrling, yn basat ?'

Bob yn plygu'i ben mewn mwys ddistawrwydd. Ar bwrpas, cogio camddeall y dywediad.

' Na fyddwn, Mam. Ddim am yr holl swigod moch a choesau pob cetyn i'w chwythu i wneud pêl-droed ; ddim am yr holl wellt i wthio i mewn i dina— . . . sori, Mam, llyffantod, nac am yr holl danjarîns yn sach Siôn Corn ! *Byth*, Mam, byth. Yn oes oesoedd, Amen !'

Gwên ar wyneb y fam wrth iddi agor drws siambar Bob. Yntau'n chwyrnu nes bod y llenni'n symud. Ei wyneb a'i wallt yn sgleinio ar ôl y noson fathio. Y gegin gefn yn llawn stêm a chlonc-chlonc y bath tun yn erbyn y llawr fel adlais o'r *Titanic* yn taro'n erbyn y rhewfynydd.

Druan o Bob ! Yr ail ddŵr a gâi ef bob wythnos gan mai ef oedd y butraf ar ôl sgorio'r gôl derfynol dros Gymru ar Gae Wembley Deio'r Bryn. Yn yr un modd, sibrydwyd rhybudd bach yng nghlust Ann cyn iddi ymolchi'n ' gwd-gyrl ' yn y dŵr cyntaf.

' O ! Mam ! Mae Bob newydd ddweud gair *rŵd* wrthyf i. A beth bynnag, ' fydda i byth yn gwneud yn y dŵr . . .'

' O, hidia befo rŵan, cariad. Mae Mam yn gwybod dy fod ti'n eneth lân.'

Wrth edrych ar Bob, diolchodd y fam, er pob cyni, a phoen byw ar ffyrlingau, a'r creithiau taclus ar ddillad gwaith a dillad gorau'r teulu, am y cariad yn y bwthyn. Carai Ann am ei bod yn eneth dda, a charai Bob—wel, am mai bachgen llawn direidi ac am mai plentyn Alff a hithau ydoedd.

' Nos da, 'nghariad i,' sibrydodd yn ei chalon.

Dodi'i hen siôl ddu dros ei hysgwyddau a syllu ar atgof o dân yn y grât gyda rhimyn o fflam yn gysur di-foeth, a'r lamp bŵl ymhell o oleuni'r Seren Lachar. Yr eira'n ergydio'n erbyn y ffenestr, ac er perffeithied y darlun cerdyn Nadolig o'r eira i'r cyfoethogion a'r ônars, storom o ddistawrwydd ydoedd i Mair. Cil-edrych o amgylch y gegin. Mor anodd credu mai dim ond deuddydd oedd cyn dathlu Gŵyl y Nadolig. Dau gerdyn. Ann a wnaeth un yn yr Ysgol Sul—llun baban mewn preseb a'r Seren yn disgleirio arno. Un crwn ar ffurf pêl-droed oedd cerdyn Bob, gyda NADOLIG LLAWEN wedi'i naddu rhwng gwythiennau'r bêl ar y naill ochr, a BRYSIWCH I LADD BANJO'R MOCHYN ar y llall.

Cau'r llenni meinion a goleuni'r sofren yn yr awyr yn byseddu'n gysgodion haerllug ar hyd pigau'r celyn yma ac acw ar draws y gegin. Y fam yn nôl y tun pres o dan y lliain bwrdd gorau ym mhen pellaf cwpwrdd y dreser. Nid oedd arni angen goleuni i gyfrif y pres, oherwydd yr oedd wedi hen arfer anwesu ffyrling neu ddimai goch neu bisin tair cyn prynu dim, yn union fel gwniadwraig yn dewis brethyn gan ei ddandlo rhwng bys a bawd.

Efallai bydd digon i brynu Teisen Nadolig fechan gan Robaits y Bara pnawn 'fory. Ond eto, rhaid imi gofio y bydd Bob yn mynd i'r ' Cownti ' y flwyddyn nesa '—a'r crwtyn clyfar prin yn naw oed. O ! Dad Trugarog ! Rho D'Arweiniad Sanctaidd imi. Amen.

* * *

' Mae'r Teisenna Nadolig braidd yn ddrud 'ddyliwn, Mr. Robaits ?'

' Wel, Mrs. Huws fach, rhaid talu am y gora bob amser. Ond ylwch, gan ein bod ni wedi nabod ein gilydd ers blynyddoedd, a chitha'n wastad yn talu ar law, cymerwch hon fel anrheg Nadolig i'r teulu,' meddai, gan estyn teisen eisin allan o focs arbennig.

' O ! bobl bach ! Na wnâ'n wir Mr. Robaits . . .'

‘ Twt lol ! Trêt i’r plantos.’

Llyncodd y fam ei phoer yn sydyn. O ! am wir ysbryd y Nadolig. Eithr yn fuan y’i dadrithiwyd pan hyrddiodd Robaits y Bara grystyn o gacen cyn grased â chols i mewn i’w dwylo disgwylgar.

*　　*　　*

‘ Mi fydd o’n dŵad yn go iawn heno, oni fydd Mam ?’

‘ Wel, bydd, wrth gwrs, Bob.’

‘ Dim yrth-cwêcs mewn gwlad bell a Siôn Corn yn rhoi’n tegana ni i’r plant bach heb fam na thad yno ?’

Sychodd Mair ddagrau o chwys oddi ar ei thalcen. Sawl gwaith y gorfodwyd hi gan dlodi i ddweud hanesion fel hyn wrth Bob ac Ann o bawb ? Ac Ann yn gweddïo dros y plant bach ’na wrth ddweud ei phader. Gwthio Bob ar ei liniau wrth ei wely, ac yntau, fel Jôns y Pregethwr Mawr, yn igian crio wrth siarad efo Iesu Grist.

‘ ’Drycha . . . Iesu Grist . . . mae’n ddrwg gen i am yr holl yrth-cwêcs ’ma bob ’Dolig . . . ond . . . wyt Ti’n meddwl bod ’na siawns inni gael un . . . y flwyddyn nesa ’ ? Dim on ’chydig bach o crac-y-ti . . . crac-y-ti, crac-crac-crac yn y . . . ddaear ? *PLÎS*, Iesu Grist. Edrycha ar ôl Mam, a Dad yn y pwll—ac Ann hefyd, a thancîw am Deio’r Bryn. Yn oes oesoedd, Amen.’

‘ Mam, fydd ’na yrth-cwêc wedi digwydd yn rhywle cyn y bore ?’

‘ Na fydd siŵr, yr hen lolyn ! Mi ddaw Siôn Corn i lawr y simnai ganol nos.’

‘ Ew !’ ochneidiodd Bob, wrth edrych i mewn i lygaid y tân. ‘ Dad, mi ddaru ti sgybyrnu’r holl huddygl ’na allan o’r simnai, on’d do, rhag ofn iddo faeddu’i wisgars ?’

‘ Do siŵr, ’machgen i. Coelia di fi, mae’r simnai ’na mor llyfn â phedol ceffyl talcen glo. Fydd ’na ddim marc ar wyneb Siôn Corn,' meddai'i dad, gan led-orwedd yn ei gadair ac yfed rhin cwmni'i deulu i'r ymylon am un noswaith.

' O. Nid coliar ydi o yng Ngwlad yr Iâ, felly.'

' Mae arna'i 'chydig bach o ofn Siôn Corn, Mam.'

' Ofn Siôn Corn ? Ond dyn bach *caredig* ydi o, Ann. Ac mi gei di gysgu yn yr un gwely â Mam a Dad, felly mi fyddi di'n berffaith ddiogel, 'ngahriad i. Rŵan gwell i'r ddau ohonoch chi fynd i glwydo'n syth bin—mae hi'n naw o'r gloch, a chofiwch na ddaw o ddim nes eich bod chi'n cysgu i'w hochrau hi. Mae'r cerrig yn y ddau wely ers meitin.'

' Lle mae sanau gwaith Dad, inni gael eu hongian nhw wrth bost y gwely ?'

' Dyma nhw, Bob. Brysiwch i'w hongian nhw cyn i'ch tad a finna' ddŵad atoch chi i'ch clywed yn dweud eich pader.'

Gwên o dynerwch ar wyneb Ann wrth iddi glywed y gwlân cras yn gogleisio'i dwylo.

' MAM ! Mi wyt ti wedi rhoi boiancs arnyn nhw. *Ac* wedi'u clymu nhw fel clynwr ! 'Fydd Siôn Corn ddim yn gallu cyrraedd gwaelod yr hosan !'

' Dyna ddigon o siarad, Bob,' meddai'r tad, ' rhaid iti fod yn ddiolchgar am yr hyn fydd gan Siôn Corn yn sbâr yn ei sach.'

' Mae'n ddrwg gen i Dad—a Mam.'

* * *

Hei mêt ! 'dydw i ddim wedi cael cip arnat ti ers blynyddoedd, felly cysgu llwynog y bydda' i drwy'r nos ! Iawn ? Ew ! Mae'r nos yn hir hefyd. Fedra' i ddim codi o'r gwely 'ma gan'i fod o'n gwichian gormod, neu mi fyddwn yn edrych allan drwy'r ffenest amdano fo'n dŵad. O ! mae arna i isio cysgu.
Mae'n rhaid bod Mam wedi rhoi lodom yn y te 'na. Jyst cau un llygad.

* * *

'Does arna' i ddim ofn rŵan. Gobeithio y câ'i danjarîn. Mi 'rydw i am gau fy llygaid yn dynn fel magned rŵan, er mwyn imi gysgu fel top tan y bore.

* * *

' Alff ! Mae hi'n cysgu rŵan.'

Winc a nod gan y tad. Y llenwr gorau yn y pwll ymron â chrio wrth orfod hanner llenwi hosan waith. Tri tanjarîn, pensil coch, a dyrnaid o gnau.

' Mi arhosa' i yn y siambar gydag Ann, rhag ofn iddi ddeffro a chael braw.'

' O'r gora', Mair. Mae Siôn Corn yn mynd i siambar 'i fab rŵan,' sibrydodd yn falch, gan gofio am y blynyddoedd y bu'n amhosibl iddo gyflawni'r gorchwyl hwn. Mair yn nôl dau focs mewn papur llwyd o ddrôr isaf y dreser.

' Siôn Corn,' sisialai wrth ei gŵr, ' 'dwyt ti ond wedi gwneud hanner stem. Tyrd gyda fi i siambar Bob gyda hwn, ac yna fe roddwn yr anrheg arall yn hosan Ann.'

Cusanodd Alff ei wraig. ' Ers pryd mae gennyt ti boced gudd yn dy gôt, Meiledi ?'

' 'Does gen i ddim côt fawr rŵan. Gwerthais hi i Siân Siop y Glyn er mwyn i Ann a Bob gael anrhegion am unwaith. Mae'r petha' bach yn dioddef digon drwy'r flwyddyn, gyda'r plant eraill yn chwerthin nerth esgyrn eu pennau am ben eu darnau o ddilladau. Rhaid oedd inni gael hyd i fodryb yn y glo . . .'

' Paid â chrio, Mair fach. Cofia, Nadolig i'w gofio fydd hwn. Gwyn dy fyd, Mair—mi fyddwn ni'n siŵr o ganfod gwythïen dda yn y pwll cyn bo hir.'

Hanner awr wedi pump a'r rhieni'n gwibio i'w plant ddeffro.

' Mam ! 'sibrydodd Ann ' MAE O WEDI BOD ! ! O ! ANRHEG MEWN BOCS ! !'

‘ Gwell iti ddatod y llinyn, Ann,’ meddai’i mam a’i llygaid yn pefrio fel sêr. ‘ O’r diwedd mae’n Nadolig *ninnau* wedi dŵad Alff !’

‘ O ! DOLI ! DOLI FACH DDU ! O ! mae hi’n hardd ! a ffroc fach ddel amdan—’

‘ Hei ! Ylwch *PAWB* ! PÂR O GLOCSIAU ! !’ Neidio ar y gwely. ‘ Hen foi go iawn . . .’

Crr-ac ! ! A’r ddoli ddu’n shinigyls ar hyd y gwely. Pawb yn crio. A Bob yn tynnu’i glocsiau fel hen goliar wedi llwyr ymlâdd.

ANTUR

Gorweddai Lois yn ei harch a'r awch am farw yn trywanu drwy'i chorff. *Rigor mortis* wedi'i threchu ond ei meddwl yn chwyrlïo fel chwip-a-thop. Eisiau marw . . . marw . . . *marw* . . . MARW ! !

Na, nid oedd yn bosibl i'w hymennydd chwech ar hugain oed gael ei arteithio fel carcharor Belsen ddim mwy. Pedair blynedd o'i fathru'n shinigyls gan garnau meirch rhyfel. Pedair blynedd a'i hysbryd yn is na'r beddrod y dymunai amdano gyda phob curiad o'i chalon.

Angau sy'n picellu'i chwantau. Nid yw'n bwyta briwsionyn mwy nag aderyn corff. Dim awydd gweld neb. Clywed Sgilti 'Sgafndroed—ei phŵdl bach purwyn yn udo. Cofio amdano fel bwndel bach o wlân yn ffenest y siop anifeiliaid anwes. Yn awr ni allai'i garu. Ei mam yn gadael ffiol o de iddi ar elor y tu draw i borth marwolaeth. Te—paham nad finegr ? Eithr a oes Duw Cariad ? ' Duw cariad yw ', yn caniatáu'r holl ddioddefaint ar y ddaear ?

' O Dduw, os wyt Ti yno, cymer fy marwolaeth oddi arnaf fel y gallaf fyw gyda Thi. Amen.'

Cofio'r adeg yn ei phlentyndod pan oedd ganddi frech yr ieir. Gorfod aros yn ei gwely, a Nain Bryn Awel yn dod draw yn feunyddiol i geisio'i diddanu. Gwella, ac yn byrlymu am gael codi i fynd allan i chwarae gyda'r plant eraill.

' Mi gei di godi ddydd Llun, Lois.'

Cyfri'r diwrnodau ar ei bysedd bach tewion—un, dau, tri, *pedwar*. Ond, serch hynny, 'roedd hi'n hoffi gweld Nain mor aml hefyd. Dod â fferins iddi, adrodd storïau, a'i helpu i gyfrif y blodau coch a gwyn ar y papur wal, ond 'doedd y groten ddim yn gallu cyfri mwy na . . .

Na, nid oedd Lois am gael blodau yn ei hangladd, na morbidrwydd tynnu llun y beddrod ffres gyda'r pridd malwodaidd yn cael ei dagu gan bentwr o liw a seloffen. Coch a gwyn—fel defaid wedi'u rhuddellu ac yn barod i'r lladdfa. O ! am wynfyd !

Codi amdo Lasarus oddi ar ei harch. Syllu yn y drych. Ei chorff yn dalp o saim gŵydd. Aroglau hen chwys a syrthni dŵr wythnosau'n llenwi'r gell. Bron â chyfogi wrth i'w llaw gyffwrdd â'i ffroenau—sawyr ei charthion chwerw a'r conau cwyraidd fel croen y meirw a gafodd gan y meddyg i'w gwthio i fyny'i phen ôl yn ymgymysgu â'i gilydd. Yn rhy flinedig i dorri dernyn o bapur toiled. Defnyddio ' bys a bawd ' fel yr arferai wneud i hel y melysgnawd oddi ar asgwrn golwythen. Crafu'r carthion o dan ei hewinedd, a'u gweld yn glynu fel mêl ar hyd y ffeil.

Lois yn mentro ymlusgo i'r ystafell ymolchi i'w diweddu'i hun. Sgwrio mwsogl wythnosau oddi ar ei dannedd, a chyfogi wrth lanhau'r haenen a lynai fel crawn catâr melyn-dew at ei thafod. Golchi ymenyn ei gwallt. Diosg ei hamwisg a'i dillad isaf a oedd wedi'u lliwio gan fawiach corffyn. Rhaid fyddai eu hamlosgi. Baddon mor boeth â'r purdan. Eneinio'i blasusgnawd gydag arogl lledrithiol *Christian Dior*. Rhith o Lois yn nôl amwisg goch ac euraidd ac amdo lân o'r cwpwrdd dillad.

Amdo'i harch, a'i pherarogli â sawyr costus. Gorwedd yno mor llonydd â doli glwt. Yn awr, parod oedd i wledd y pryfaid.

Hers wen yn cyrraedd y tŷ. Dau gludydd yn dodi'i chorff mewn arch arall. Amdo o waed yn dynn amdani. Galarwyr yn ei gwylied. Anfarwol ddagrau ar ruddiau'i rhieni. I lawr—i lawr—i lawr—a thawelwch cyn-lowyr mewn caets yn llenwi'r lle.

Dwy hen wraig yn y purdan. Gweision Yr Hen Ddyn yn pwnio nodwyddau i mewn i'r diweddar Lois. Rhagflas o lwyr farwolaeth. Ymwybodol eto. Gwreigan yn grwgnach yn y gist gyferbyn â hi. Disgwyl clywed rhisglau'i hesgyrn yn clindarddach wrth iddynt wanu drwy'i chroen crin. A oedd y pryfaid wedi dechrau'i hysglyfaethu mor gynnar ? Ai clytwaith o ŵn porffor y Brenin Mawr a oedd ar ddarnau o'i chorff ? Ynteu a oedd wedi cael ei fflangellu yn y purdan ? Gwrach yn yr arch nesaf. Gwallt mor wewyrddu â mwgwd crogwr a danadl poethion yn trywanu allan o'i llygaid. Pigo'r ddiweddar Lois o hyd. Cnocio'i harch—clic-clic,clic-clic, clic-clic, i geisio'i hatal rhag marwolaeth. Chwerthin cyn feined â cholyn, a'r ferch ifanc yn dyheu am groesi'r lli.

'Na ! NA ! Peidiwch â chwerthin dim mwy ! PLÎS ! Peidiwch ! *NA* !'

Merch mewn gwisg las, a dyn yn brysio tuag ati. Rhywun yn gafael yn ei llaw mor dyner ag angel.

'Wel, Lois fach, mi 'rwyt ti wedi deffro o'r diwedd,' meddai'r dyn wrthi gan wenu.

' 'Dydw i ddim yn y purdan . . . 'dydw i ddim wedi marw, naddo ? 'Dydw i ddim wedi— ?'

'Naddo siŵr. Mi wyt ti wedi bod yn sâl ond mi ydyn ni am dy wella di.'

'Lle'r ydw i ?'

'Yn yr ysbyty. Dyma Sistar Williams, a Doctor Roberts ydi f'enw innau. Fe ofalwn ninnau amdanat ti. Iawn ?'

Lois yn edrych o'i chwmpas, mewn gwewyr o hyd.

'Ond mi oedd 'na eirch yma gynnau—oedd, ar fy ngwir. Fe'u gwelais nhw . . .'

' 'Does dim un arch yma cariad, ond gwelyau. Rŵan, mi 'rwyt ti wedi siarad hen ddigon. Mi wnaiff Sistar roi pigiad bach iti er mwyn iti gael cysgu'n braf.'

Gafael yn ei llaw cyn ei gadael. Cwsg potes maip mewn byd di-larwm ,di-ddydd, di-nos. Teimlo'n well ar ôl deffro. Sistar Williams wrth ei gwely'n gwenu arni.

‘ Wel, sôn am Rip van Winkle ! Ydach chi’n teimlo’n well ar ôl cysgu Lois ?’

‘ Ydw diolch, Sistar,’ atebodd Lois gan rwbio’i llygaid briw, ‘ ond mae’r iselder ’ma . . . mae o’n bwyta f’ymennydd i . . .’

Lois yn ei dyblau’n crio.

‘ Criwch Lois. Fe deimlwch yn well wedyn,’ meddai’r Sistar gan ei charu. ‘ ’Fory, mi awn ni am dro bach ar hyd y coridor er mwyn i chi gael gweld y lawntiau a’r mynyddoedd yn wyn.’

‘ Yn *wyn* ? Ydi hi wedi—bod—yn bwrw—eira ?’

‘ Do, ers diwrnodau rŵan. Mae hi’n rhewi’n gorn hefyd, ond mi ddaw’r gwanwyn a’r haf cyn bo hir.’

‘ Gaeaf—fydd hi imi—o—hyd. ’Fedra ’ i—ddim—byw fel pawb—arall.’

‘ Twt lol ! Dyna ddigon o ochneidio. Mi fyddwch chi’n sicr o wella, ac wedyn mi gewch fywyd fel pawb arall—mêl, a thipyn o wermod weithiau.’

Cysgu ym mreichiau Sistar Williams a edrychai mor lân â thusw o eirlysiau. Deffro ben bore a baich o iselder ysbryd yn pwyso fel tunnell o lo ar Lois.

O ! Mae gen i bopeth—cartref da, ffrindiau, gradd anrhydedd, car—a chariad yn byrlymu o’m hamgylch ym mhob man, ond mae’r iselder ysbryd ’ma’n mynnu fy nhreisio i o hyd. Ond mi ddwedodd Sistar Williams a Doctor Roberts y byddi di’n siŵr o wella yn y man. Mi fydda’ i’n teimlo’n well ar ôl siarad â Doctor Roberts—mae o, hyd yn oed, yn gallu fy nhywys i wenu weithiau.

Be’ sy’ am ddigwydd heddiw ? Rhywbeth arbennig . . . O, wrth gwrs, codi o’m gwely am y tro cyntaf i edrych ar yr eira drwy’r ffenest gyda Sistar. Ffenestri yw ’mywyd bellach. Tad yn dyheu am gofleidio’i faban newydd-eni, eithr ffenestr y feithrinfa yn ei atal.

Teimlo'n ysgafnach wrth feddwl am yr engyl newydd yn eu ham-siolau eirwyn. Sbonc ddieithr yn ei chalon wrth iddi chwenychu gweld yr eira. Purdeb yn lle purdan. O ! am gael cyffwrdd â'i ysgafnder eirlysiaidd.

Dyma Sistar.

' Helo, Lois. Mi ydach chi'n edrych yn well o lawer heddiw! W ! Am goban ddel !' meddai, gan edrych ar y blodau glas a gwyn yn rubanu drwy'i gilydd, a ffriliau a les fel plu eira ar y bodis.

' Fe ddaeth Mam â hon yn anrheg imi.'

' Wel, am lwcus ! A beth am anrheg fach arall—mynd am dro i edrych ar yr eira ? Barod ?'

' Ydw, Sistar.'

' Dyna ni. Rhowch eich sliperi a'ch gŵn-wisg amdanoch i gadw'n gynnes. Peidiwch â chodi'n rhy sydyn.'

Sistar Williams bron ag atal llif y gwaed ym mraich Lois wrth iddynt gerdded wyth gam at ffenestr y feithrinfa. Am un munud cyfan tywyswyd Lois i Wlad Hud a Lledrith—cyn i ias oer felltennu drwy'i chorff.

' 'Ga' i fynd yn ôl i'm gwely rŵan, os gwelwch yn dda ?'

' Cewch wrth gwrs, cariad.'

Wrth gerdded milltiroedd yn ôl i'r ward, teimlo mor frau â phlu'r gweunydd mewn corwynt. Disgyn i mewn i'w gwely, a phob rhan o'i chorff yn crynu. Chwysu lafa a'i choban yn glynu yn ei chnawd diferol. Cau'i llygaid yn dynn . . . eira poeth . . . pigiad yn ei braich . . . eira poeth . . . eir-

Bodoli mewn byd di-wawr, amryliw. Awyr las ei faliwm, dydd gwyn ei B6, irwydd haf ei pharstelin, nardil ei machlud, nos ei dalmên.

Dychwelyd adref ddiwrnod cyntaf y gwanwyn. Ymadael â'i nyth fach heb ddysgu hedfan eto. Mam a Dad yn orlawen bryderus. Heidiau o bobl yn taranu siarad ac yn cloncian eu traed ar hyd y cor—ffordd. Y car yn rhuo. Edrych yn ôl at y bondo.

Sŵn breciau'r car yn gwichian fel troli angau ar hyd llawr yr ysbyty. Cyrraedd y tŷ yn Nant-y-Gwyddfid. Cyfarthiad Sgilti fel cleddyf yn dartio drwy'i hymennydd. Ei thad yn ei helpu i fyny'r grisiau yn union fel y cynorthwyai Nain erstalwm. Gorfod gorffwyso yn ei gwely cyn mentro dal cwpanaid o de. Rhieni'n gweini heb gyfri'r gost. Gwella'n raddol.

Eistedd wrth y ffenestr am oriau. Y caeau'n lasach nag erioed, a'r gwartheg du a gwyn yn pori'n ddibryder neu'n gorweddian yn ddioglyd gan gnoi cil ar fywyd. Awydd mynd am dro ar hyd lôn gul y Nant—cofio am fis Medi ac am aroglau di-botel y gwyddfid yn dawnsio fel y Tylwyth Teg ar isalaw hudolus yr awel. Cerdded drwy Goed y Suon, a'r dail yn moesymgrymu iddi. Cyrraedd yr afonig a chanu'r delyn ar dannau grisial y dyfroedd puroer.

Tad Lois yn tarfu ar ei breuddwydion. Cario hambwrdd.

'Iawn, Lois ?'

'O ! mi 'rydw i'n teimlo'n gryfach o lawer heddiw. Dad, 'gawn ni fynd am dro 'fory—dim ond ar hyd Lôn y Nant ?'

'Wrth gwrs, Lois,' atebai'i thad, a'i lygaid yn disgleirio. 'Mi awn ni i'r lleuad ac yn ôl i dy blesio di ! Fe gawn ni amser bendigedig. Rŵan, mae Mam wedi paratoi salad iti, a salad ffrwythau ffres a hufen i bwdin. Cofia fwyta llond dy fol o hufen—mi es i i Fferm Bryn Ffynnon i'w brynu o'n arbennig iti.'

'O, Dad bach, 'ddylet ti ddim teithio'r holl ffordd i Fryn Ffynnon er fy mwyn i—Ga' i dalu am y petrol—mae o mor ddru-'

'Cariad yw ein petrol ni Lois,' meddai, a dagrau'n crisialu yn ei lygaid.

Lliwiau hafaidd y salad yn codi archwaeth bwyd ar Lois. Mwynhau pob tameidyn ohono. Tywallt y cariad ar y ffrwythau nes fod y ddysgl yn llawn. Ei thad yn dod i nôl yr hambwrdd.

‘ Wel, am fwtler da—gwell na Hudson ar *Upstairs Downstairs*. Lle mae Mrs. Bridges ?’ holai Lois, gan deimlo’n chwareus.

‘ O, mae dy fam yn pigo ’chydig o fwyd yn y gegin. Mi fydd hi yma ymhen dau funud.’

‘ Wyt ti wedi cael te, Dad ?’

‘ Mi gipiais i dafell o frechdan jam gynnau.’

Lwmp yng ngwddf Lois a’r dagrau’n tywallt i lawr ei gruddiau. Grym ei hiselder yn gorfodi ei rhieni i bigo a chipio’u bwyd. Pryd pryderus pan oedd Lois yn cysgu. Byw yn y dorth gan fod ei thad wedi ymddiswyddo dros dro er mwyn rhoi help llaw i’w mam ac i iro meddwl briw ei unig ferch.

‘ O ! Dad, mae’n ddrwg gen i ’mod i’n achosi’r holl boen ’ma iti a Mam.’

Ei mam yn brysio i fyny’r grisiau a’i chwpanaid o de yn ei llaw i geisio’i chysuro. Eithr

Wedi elwch, tawelwch fu.

Gorwedd mewn gwely o ddrain. Gwaed y machlud yn llifo i mewn i’r llofft a chadfridog byddin y gelyn yn arteithio loes ei meddwl di-feddylgar. Casáu pawb a phopeth yn y rhyfel creulonaf a fu erioed.

‘ Cofia ein bod ni’n mynd am dro ’fory,’ meddai’i thad wrthi gan geisio chwalu’r drain.

‘ Dos am dro dy hunan, a bodda dy hun yn yr afon, neu gweithia fel pob dyn arall gwerth ei halen, y cythraul diog.’

‘ Lois annwyl, mae dy dad yn aros gartre ’ er mwyn ein helpu—i dy helpu di i wella,’ meddai’i mam gan grio’n dawel.

Llais ei thad yn grynedig.

‘ Os wyt ti am i fi fynd i weithio Lois, mi af ben bore ’fory. Unrhyw beth i dy blesio di.’

Ei thad, a’i holl gryfder, yn beichio crio.

‘ Mi fyddwn i hyd yn oed yn fy moddi fy hun er mwyn i tithau gael ’chydig o esmwythyd. Unrhyw beth, Lois—unrhyw beth.’

Pawb yn wylo.

‘ O ! mae’n ddrwg gen i . . . mae’n ddrwg gen i. Ond mae’r pylia’ ’ ma’n mynnu imi ffieiddio pawb a phopeth. ’Doeddwn i ddim yn meddwl . . .’

Ei rhieni’n ei chofleidio am ei bod hi’n ‘ werth y byd ’, chwedl ei thad wrthi byth a beunydd. Ei cheraint yn ei chysuro yng ngwyliadwriaethau’r nos. Ei meddwl yn fyw o forbidrwydd. Eithr cysgodd yn braf ym mynwes ei mam, yn hytrach na gorfod dioddef syrthni annaturiol Dalmên.

Deffro ben bore. Teimlo’n well. Am y tro cyntaf er pedair blynedd dyheai am fwynhau pob eiliad o’r diwrnod arbennig hwnnw—diwrnod arbennig—pen-blwydd ei thad. A Lois wedi anghofio popeth amdano. Nid oedd ganddi hyd yn oed gerdyn i’w roi i un a’i gorchuddiai gyda’i holl gariad.

Pum munud i wyth. Toc mi fyddai’i thad yn dod â’i brecwast iddi.

O, be’ wna’ i ?
Mi wyt ti’n hunanol, Lois.
Mi wn i hynny.
Mae gennyt ti lai na phum munud
i roi anrheg i dy dad—ac i dy fam—
ac i tithau hefyd.
Dos Lois ! Dos !

Ymhen chwinciad yr oedd Lois yn ei gŵn-wisg. Bron â thorri’i hunan-addewid wrth iddi ymgripian i lawr y grisiau. Agor drws y gegin. Tawelwch parlysol. Yna, pawb a phopeth yn dadebru ! Ei rhieni’n ei chusanu ac yn crio o lawenydd. Sgilti—mor heini ag erioed—yn mynnu i Lois ei gario, a’i gynffon bychan yn chwipian-chwapian fel megin ! Eistedd i lawr ac ni bu un fam yn y byd mor falch o nôl cwpan-a-soser arall. Estyn cwpanaid o de i’w merch, a pherl amhrisiadwy mam yn ei droi’n win. Sgilti’n rhuthro ar ei glin gyda’i bêl . . . cnocio’r gwpan a staenio’r ŵn-wisg wen !

‘ O Sgiltyn, ’nghariad i, am fachgen drwg !’

CHWERTHIN !

Y sŵn dieithr yn ffrydio allan ohoni fel dŵr o ffynnon ! Pawb yn chwerthin nerth esgyrn eu pennau. Sgilti'n troelli fel chwip-a-thop gan geisio dal ei gonyn-hufen-iâ o gynffon ! Rholio ar y carped . . . dwyn esgidiau pawb . . . dwyn sliperi Lois, a'u cadw yn ei guddfan o dan y seld !

Yna tawelwch o flaen yr allor bwrdd brecwast. Gwin y sudd tomato a'r haenau tenau o fara ffres ar y plât.

' O, Dad, diolch iti am ddod â'r aroglau hyfryd yn ôl i Nant-y-Gwyddfid. 'Rwyf yn fud o'th flaen, fy Nhad. Amen.'

Nhad a offrymodd y weddi honno. Ie, myfi yw Lois. Nid ydwyf erioed wedi bod mewn llongddrylliad. Nid ydwyf erioed wedi cofleidio esgyrn plentyn o Fietnam. Nid ydwyf wedi teithio'r byd. Bûm ymhellach. Llusgwyd fi, ferch fy milltir sgwâr, i mewn i danchwa Uffern. Ras malwen gorn yn ôl i'm cynefin. *Eithr yn awr, Antur yw fy Mywyd. Antur yr Atgyfodiad. Antur Cariad nid crio. Wedi selni, Antur yw Byw.*